Richard Durand

Naufrage intérieur
Le vrai Titanic

PRÉFACE DE YOLANDE VIGEANT

Les éditions Un monde différent ltée
3925, Grande-Allée
Saint-Hubert (Québec)
Canada J4T 2V8
(450) 656-2660

Collection

ROMANS D'INSPIRATION

Du même auteur :

Objectif : Réussir sa vie et dans la vie!, Richard Durand
Naufrage intérieur, le vrai Titanic, Richard Durand

CHEZ LE MÊME ÉDITEUR
Dans la même collection :

Le plus grand miracle du monde, Og Mandino
Le Retour du chiffonnier, Og Mandino
L'Ange de l'espoir, Og Mandino
Le Maître, Celui qui avait la puissance de la parole, Og Mandino
Le Cadeau le plus merveilleux au monde, Og Mandino
Le plus grand vendeur du monde, Og Mandino
Le Fonceur, Peter B. Kyne
L'Homme le plus riche de Babylone, George S. Clason
Des hectares de diamants, Russel H. Conwell
La Légende des manuscrits en or, Glenn Bland
Sans peur et sans relâche, Joe Tye
Le Livre des secrets, Robert J. Petro et Therese A. Finch

**En vente chez votre libraire ou à la maison d'édition
Prix sujets à changement sans préavis**

*Si vous désirez obtenir le catalogue de nos parutions,
il vous suffit de nous écrire à l'adresse suivante :
Les éditions Un monde différent ltée
3925, Grande-Allée
Saint-Hubert (Québec), Canada J4T 2V8
ou de composer le (450) 656-2660 1-800-443-2582*

À Marie-Claude,

Pour tout ce que j'apprends par ton exemple,
à travers toi, je comprends l'importance des mots
« acceptation, solidarité, et amour ».

Remerciements

É crire un roman est toujours une aventure au cours de laquelle différents *personnages* viennent *par hasard* enrichir l'histoire. Je voudrais particulièrement souligner et remercier quelques-uns d'entre eux qui ont su non seulement enrichir mon histoire, mais surtout enrichir ma vie grâce à leur amitié.

Mary Duguay McCoy pour son support psychologique durant toute la rédaction de mon livre.

Uparathi Provencher pour sa complicité et sa collaboration à la scénarisation de ce roman.

Denis Lévesque pour sa précieuse collaboration à l'écriture.

Yolande Vigeant pour son support et son humilité.

Sauveur Padovano de Marseille pour notre relation et son soutien par internet.

Louise Comeau, m.d., pour sa disponibilité.

Michel Sentenne pour son écoute aux cours des dernières années.

René Cantin et Raymonde Viau pour leur appui.

Marguerite et Pierre-Yvon Proulx pour leur accueil inconditionnel.

Ainsi que Michel Ferron, Lise Labbé, Jean-François Gagnon, Cédrick Beauragard, et toute l'équipe des éditions Un monde différent. Merci de m'avoir aidé à réaliser un autre de mes objectifs. À la prochaine.

RICHARD DURAND.

Table des matières

Préface   11

Prologue   13

PREMIÈRE PARTIE : PRISES DE CONSCIENCE

1. L'IMPUISSANCE   25

2. LE COMBAT   37

3. L'INQUIÉTUDE   53

4. ÊTRE OU PARAÎTRE ?   65

DEUXIÈME PARTIE : RECHERCHE DE SOLUTIONS

5. LE CHOIX   79

6. L'ATTENTE   93

7. LA DÉPENDANCE AFFECTIVE 105

8. LA CULPABILITÉ 119

TROISIÈME PARTIE : L'ENVOL

9. LE PARDON 133

10. L'ENGAGEMENT 149

11. LA PEUR DU SUCCÈS 165

12. L'ÉVOLUTION 175

Épilogue 185

Bibliographie 191

Annexe sur l'auteur 192

Préface

C e livre m'a fait vivre de belles, de puissantes émotions. Il ose sortir des sentiers battus. L'histoire, à la façon des romans Harlequin est tout à la fois romantique et intrigante, offrant un suspense digne des meilleurs romans policiers. Cela peut sembler paradoxal, mais le message livré n'a rien à envier aux meilleurs bouquins sur la spiritualité contemporaine. Le meilleur de tous les mondes, quoi ! J'ai particulièrement apprécié les personnages romanesques, bien campés psychologiquement, hauts en couleur, présentés avec minutie sur une authentique toile de fond historique.

Dans son premier livre, Richard Durand s'avérait être un écrivain prometteur. Aujourd'hui, il arrive à sa pleine maturité en présentant un livre impeccable, d'une profondeur peu commune. L'analogie avec le *Titanic* m'a particulièrement touchée car j'ai frappé un jour mon iceberg et coulé à pic. J'ai survécu. Par quel miracle ? Sûrement le même qui a inspiré Richard à nous livrer un si beau message d'espoir et à proposer des solutions adéquates au quotidien.

Ce livre exceptionnel est à lire et à relire. Il représente, entre autres choses, le manuel de survie de tous les naufragés de l'existence. Je le recommande en particulier à tous ceux et celles qui ont besoin de se faire parler d'amour... juste pour aujourd'hui.

YOLANDE VIGEANT

Prologue

Adrian avait réglé son réveil-matin pour 3 h 15 en prenant soin de programmer la *Cinquième Symphonie* de Beethoven pour être sûr de ne pas rater son rendez-vous nocturne. Dès les premières notes de la symphonie, il sauta du lit, enfila un pantalon et une chemise de toile et sortit aussitôt, ses lunettes d'approche très puissantes pendues au cou. La musique du maître allemand continua à résonner dans la maison déserte.

Le sexagénaire se dirigea vers la plage où s'étaient rassemblés quelques irréductibles amateurs de lancements de navettes spatiales. En pleine nuit, de son poste d'observation, seul l'impressionnant geyser de flammes accompagnant chaque décollage lui était visible. Adrian trouvait fascinant le bruit assourdissant produit au moment où la navette et ses réservoirs s'arrachaient de l'attraction terrestre pour filer vers l'espace.

Le 943ᵉ vol d'une navette spatiale était prévu pour 4 h 05 en cette nuit du 13 juillet. Installé à Daytona quelques années plus tôt, Adrian avait déjà assisté à une bonne cinquantaine de décollages. À chaque occasion possible, il se rendait soit au *Kennedy Space Center*, soit sur la plage à un kilomètre de chez lui, pour y revivre toujours la même sensation forte, celle ressentie quarante ans auparavant alors qu'il était venu pour la première fois en Floride à l'occasion de sa première semaine de relâche universitaire. *Un jour*, s'était-il dit alors, *il assisterait à tous les lancements*. Il réalisait enfin son rêve.

À l'heure précise prévue pour le décollage, il sentit le sable bouger sous ses pieds et vit apparaître une fabuleuse boule de feu à l'horizon. Des ordinateurs autonomes, situés à des centaines de kilomètres de là, venaient de mettre en branle le processus de mise à feu automatique des moteurs. Il était loin le temps où un directeur de vol à la voix grave procédait au compte à rebours final. Maintenant, sauf pour la programmation des ordinateurs, tout se faisait sans intervention humaine.

L'immense salle de contrôle de Houston était bondée. Une centaine de personnes assistaient au lancement plus par curiosité que par nécessité. Un seul responsable avait le pouvoir d'annuler les procédures en donnant ordre, de vive voix, aux ordinateurs de tout arrêter. Mais cette nuit, rien n'avait obligé l'ingénieur à stopper le déroulement des opérations.

Adrian s'empara de ses lunettes d'approche et admira la longue traînée de flammes montant dans le ciel. Au bout de cinq minutes, malgré la puissance de ses lunettes, seul un tout petit point blanc se confondait avec les étoiles. Le spectacle terminé, il rentra chez lui d'un pas alerte et regagna son lit. Il claqua des doigts, la lumière s'éteignit, et l'orchestre qui avait joué tout ce temps, se tut.

* * *

À bord de la navette, les sept astronautes avaient débranché les électrodes les reliant à l'ordinateur central, retiré leur combinaison et quitté leur siège respectif. Ils se déplaçaient maintenant en apesanteur et vaquaient à diverses activités en attendant les manœuvres d'approche vers la station orbitale, leur ultime destination. Seul le maître de bord gardait les yeux rivés sur les panneaux de contrôle lui donnant toutes les indications dont il avait besoin.

Justine s'approcha d'un hublot et admira la Terre toute proche et pourtant si lointaine. Elle se rappela son premier voyage en avion. Elle était allée en France avec sa mère et avait insisté pour s'asseoir près d'un hublot. Un voyage de quelques heures. Aujourd'hui, elle partait pour six mois dans l'espace. Elle eut une pensée nostalgique pour son Gregg adoré et leur petite fille de deux ans, Stéphanie. Elle ne pourrait plus les serrer dans ses bras avant longtemps. La navette survolait maintenant l'Europe de l'Ouest. Justine reconnut les contours de l'Angleterre, de la France et de l'Espagne malgré quelques masses nuageuses disséminées ici et là. Le visage rayonnant de sa mère lui apparut soudain. Barbara avait été terrassée deux jours auparavant par une nouvelle défaillance cardiaque. Les progrès de la science avaient encore une fois réussi un véritable miracle pour la maintenir en vie. Mais les médecins gardaient peu d'espoir de la sauver car sa condition ne permettait pas l'implantation d'un cœur artificiel. La prochaine attaque risquait donc de lui être fatale.

Justine lui avait parlé la veille au cours de la soirée, et lui avait fait promettre de tenir bon jusqu'à son retour.

« Oui, ma p'tite fille, ne t'en fais pas pour moi, je vivrai jusqu'à cent ans ! Je serai là à ton retour. Dis, tu me raconteras les étoiles comme tu l'as fait les autres fois ?

– C'est promis ! Et si je peux, je t'en rapporterai une, juste pour toi.

– Si jamais il m'arrivait malheur, j'ai confié une enveloppe à ton mari. Tu l'ouvriras à ma mort seulement. »

Justine avait vu sa mère sourire à l'écran de l'ordinateur et s'était sentie réconfortée. Elle pouvait partir en paix. Sa mère n'était pas de celles qui abandonnent si facilement. Elle revit en pensée les jours heureux de son enfance lorsque, en compagnie de Barbara, elle allait rendre visite à grand-maman Marie-Anne à son chalet dans les Laurentides. C'était chaque fois une véritable fête et leur départ, après quelques jours de vacances, représentait toujours un petit drame.

Marie-Anne était décédée en 2011. Justine venait d'avoir 13 ans. Pour la première fois de sa vie, l'adolescente avait dû faire face à la mort d'un être cher et elle en avait éprouvé une douleur immense. Elle pleura pendant plusieurs jours malgré tous les efforts de ses parents pour la consoler. *« Comme grand-maman serait fière de moi aujourd'hui »*, se dit Justine les yeux toujours rivés au hublot.

La navette franchissait maintenant l'Équateur, survolait l'Inde et la Chine. Tout était calme à bord mais l'équipage attendait avec une certaine fébrilité la conjonction avec la station orbitale prévue pour la fin de l'avant-midi. Justine regagna son siège. Elle songea à réviser le cahier de charges des expériences à réaliser au cours des prochains mois mais elle n'avait vraiment pas la tête à ça. Elle fouilla dans son casier et en sortit un livre de poésie, une anthologie des auteurs du vingtième siècle, qu'elle apportait chaque fois avec elle. Elle l'ouvrit au hasard et tomba sur un court texte de Jacques Prévert, un poète depuis longtemps oublié :

« Je suis allé au marché aux oiseaux
Et j'ai acheté des oiseaux
Pour toi
mon amour

« Je suis allé au marché aux fleurs
Et j'ai acheté des fleurs
Pour toi
mon amour

« Je suis allé au marché à la ferraille
Et j'ai acheté des chaînes
De lourdes chaînes
Pour toi
mon amour

« Et puis je suis allé au marché aux esclaves
Et je t'ai cherchée
Mais je ne t'ai pas trouvée
mon amour. »

Trop rationnelle de nature, Justine ne chercha pas à comprendre le sens profond du poème et se contenta d'en apprécier le rythme et la structure musicale. Elle le relut deux ou trois fois, sachant que désormais elle pourrait le réciter par cœur. Elle était reconnue pour avoir une mémoire phénoménale. Elle serra le livre entre ses genoux pour éviter de le voir s'envoler dans la cabine. Fermant les yeux, elle se laissa bercer par le doux ronronnement des moteurs. Pendant une bonne heure, elle réussit enfin à relaxer. Les dernières journées sur Terre avaient été harassantes avec tous les préparatifs, les inlassables répétitions en vue du départ et les adieux, parfois déchirants. Elle avait quelques heures à sa disposition pour se détendre, aussi bien en profiter.

* * *

À l'approche de la station orbitale, les astronautes durent regagner leur siège. C'était une simple question de sécurité au cas où le contact à l'abordage serait plus violent que prévu. L'opération se fit tellement en douceur que le commandant de bord dut aviser ses coéquipiers que la manœuvre avait été complétée. Ils ne s'en étaient même pas rendu compte.

Chacun savait ce qu'il avait à faire avant de se glisser dans l'étroit tunnel reliant la navette à la station. En moins d'une heure, les bagages, les provisions alimentaires et les instruments scientifiques nécessaires à leur mission avaient été transférés dans leur demeure des six prochains mois. L'équipe d'astronautes en poste dans la station depuis le début de l'année avait même eu le temps de prendre place dans la navette, prête pour un retour sur terre impatiemment attendu.

Les deux commandants échangèrent quelques mots à l'écart avant de se serrer la main en guise d'adieu. Lorsque la navette se fut séparée, le commandant s'approcha de Justine et la pria de l'accompagner dans la salle des communications.

« Il faut entrer en contact avec la base à Houston. Ils ont, paraît-il, un problème avec l'une de tes expériences.

– Un problème ? Quel problème ?

– Je n'en sais rien. Le commandant Mark m'a simplement transmis l'information. Allons-y, nous en aurons le cœur net. »

Justine et Allan s'installèrent côte à côte dans les fauteuils en face des écrans de communication et le commandant pressa quelques touches sur le clavier. L'image du centre de contrôle apparut. Le responsable des opérations, un homme doux et sensible, salua amicalement les deux astronautes et les félicita pour la réussite du voyage.

« Félicitez plutôt Nik, patron », répondit Allan en faisant allusion à l'ordinateur central. « Je n'ai vraiment pas eu grand-chose à faire. Vous vouliez parler à Justine ? Elle est à mes côtés. Je vous la passe.

– Bonjour Justine. Quelqu'un ici doit absolument te parler. »

L'image se brouilla un moment puis Justine vit apparaître Stéphanie et Gregg sur l'écran. Elle fut à la fois surprise et inquiète de les savoir là.

« Bonjour, ma puce. Comment vas-tu ? Tu t'ennuies déjà de moi, on dirait ?

– Maman ! » s'écria Stéphanie en l'apercevant à l'écran. «Où es-tu ?

– Je suis dans le ciel, juste au-dessus de toi mais tu ne peux pas me voir, je suis trop loin. Je m'en vais faire un long voyage dans les étoiles mais on se parlera souvent, ne t'en fais pas. Passe-moi papa maintenant. Je t'embrasse, ma puce.

– Bonjour, mon amour», lança Gregg d'un ton faussement joyeux. «Le lancement s'est bien passé ?

– Sans problème, comme toujours. C'est magnifique ici. J'espère revenir avec toi un jour. Vous avez bien vu le décollage ?

– Oh ! moi j'ai tout vu mais Stéphanie dormait profondément. Même le bruit ne l'a pas réveillée. C'était vraiment impressionnant.»

Gregg se tut et baissa les yeux. Il semblait triste et aurait voulu se voir n'importe où ailleurs afin d'éviter d'avoir à lui annoncer la terrible nouvelle. Justine devina son désarroi et ne voulut pas attendre plus longtemps avant d'affronter la triste réalité.

«C'est maman ? Gregg, réponds-moi !

– Tu as tout compris, comme d'habitude. Je ne puis rien te cacher. Barbara a fait un nouvel arrêt cardiaque la nuit dernière. On a tenté de la réanimer mais il n'y avait plus rien à faire. L'hôpital m'a appelé ce matin pour me mettre au courant. Rassure-toi, elle n'a pas eu le temps de souffrir.»

Gregg fit une pause et serra Stéphanie tout contre lui, comme si cette présence le réconfortait. Pour une rare fois, Justine garda le silence. Gregg reprit ses esprits et tenta bien maladroitement de rassurer son amour.

«Après l'appel de l'hôpital, j'ai parlé au responsable du vol et nous avons convenu de t'apprendre la nouvelle le plus rapidement possible. Si tu savais comme j'aimerais te tenir dans mes bras pour te consoler !

– Ça va aller, Gregg. Ne t'en fais pas pour moi. Je vais lui parler en regardant les étoiles. Tu t'occupes de tout ?

– Bien sûr, bien sûr. Nous rentrons à Montréal aujourd'hui et je ferai le nécessaire. Elle sera incinérée selon ses dernières volontés, et nous organiserons une cérémonie d'adieu dès ton retour. Je t'aime, mon amour. Bon voyage !

– Bon voyage, toi aussi. Je t'embrasse. Et toi, ma petite Stéphanie, je te serre dans mes bras. Sois gentille avec papa, il a besoin de toi.

– Au revoir, maman, reviens vite ! »

La communication fut interrompue et le responsable des opérations apparut de nouveau à l'écran.

« Justine, je suis de tout cœur avec toi. Prends le temps nécessaire pour te remettre. Dans les circonstances, certaines expériences peuvent être retardées.

– Je vous remercie, patron, mais je pense plutôt avoir besoin de travailler dur pour tenter d'oublier. Enfin, pas pour oublier, mais pour m'en remettre, comme vous dites.

– On se reparle bientôt. Bonne chance. »

Allan coupa la communication, passa son bras autour des épaules de Justine et l'embrassa tendrement sur la joue sans dire un mot.

L'astronaute sortit de la salle et s'installa devant un hublot d'où elle pouvait voir le vide de l'univers.

« Pourquoi ? pourquoi ne m'as-tu pas attendue, maman ? J'aurais tant voulu te raconter. Pourquoi ne m'as-tu pas attendue ? »

Impuissante, Justine ne put retenir un flot de larmes. Le commandant de bord avisa les autres membres d'équipage de la triste nouvelle. L'un après l'autre, ils tentèrent de la réconforter tant bien que mal.

Au bout de quelques jours, l'émotion laissant la place au travail sérieux, une belle complicité s'installa dans le groupe. Les six mois de la mission se déroulèrent comme prévu, sans anicroches et sans surprises.

On fêta l'Action de grâces puis Noël et le Nouvel an et on prépara le retour sur terre qui devait avoir lieu dans la deuxième semaine de janvier.

* * *

À son retour, Justine dut rester trois jours en Floride pour les formalités d'usage après un si long voyage dans l'espace puis elle obtint enfin une semaine de congé afin de pouvoir rentrer à Montréal. Gregg l'attendait à l'aéroport avec Stéphanie. Elle exprima le désir de se rendre immédiatement au crématorium pour un dernier adieu à sa mère. La voiture électrique les y conduisit en moins de trente minutes.

Gregg lui remit l'enveloppe dont Barbara avait parlé. Justine reconnut l'écriture de sa mère. Elle l'ouvrit immédiatement. « Selon mes dernières volontés, un petit coffret de bois sera déposé dans mon casier. Son contenu t'appartient. Tu en feras bon usage, je le sais. Ta mère qui t'aime, Barbara. »

Discrètement, Gregg s'éloigna pour faire une promenade dans le parc en compagnie de leur fille laissant Justine pénétrer seule dans l'imposant et austère édifice.

Un préposé lui indiqua le numéro du tiroir mortuaire : le 3648, au troisième étage. Justine s'y retrouva seule. C'était une salle immense et froide entourée de multiples casiers, tous identiques, portant une simple plaque avec un numéro et quatre boutons pour la commande de l'ouverture. Justine fit le numéro indiqué par le préposé et la porte s'ouvrit. Une tablette glissa automatiquement vers l'extérieur et Justine aperçut l'urne choisie par Barbara plusieurs années auparavant. Il n'y avait rien de morbide dans cet achat. C'était typique de Barbara, une façon bien à elle de se rappeler qu'elle n'était pas immortelle.

Justine n'osa y toucher, comme pour ne pas profaner les restes de sa mère. Les yeux fermés, elle se recueillit un instant. En les rouvrant quelques secondes plus tard, son attention fut attirée par un objet placé derrière l'urne : le vieux coffret de bois mentionné par Marie-Anne dans sa lettre. Justine reconnut le petit boîtier et se rappela l'avoir vu dans le tiroir du bas de la commode de sa mère.

Barbara n'avait jamais voulu lui révéler son contenu. «Ce sera une partie importante de ton héritage un jour», s'était-elle contentée de lui dire. Justine n'en avait jamais reparlé mais il était maintenant là ce mystérieux coffret et, désormais, il lui appartenait.

Elle le prit à deux mains, comme l'objet le plus précieux qui soit, s'installa sur une banquette et décida de l'ouvrir aussitôt. La serrure rouillée n'opposa aucune résistance. Justine, stupéfaite de son contenu, prit le temps de bien l'examiner. Elle se rappela tout à coup les paroles de sa mère lorsqu'elles étaient dans le grenier chez son grand-père. Elle avait à peu près sept ans alors. Elle lui avait dit : «Ce coffret sera tien un jour. Il représente vraiment le plus bel héritage qu'une mère puisse léguer à sa fille. »

PREMIÈRE PARTIE
PRISES DE CONSCIENCE

Chapitre 1

L'IMPUISSANCE

MONTRÉAL, JANVIER 1998

Debout devant la fenêtre du salon de sa luxueuse maison de Notre-Dame-de-Grâce, Marie-Anne observait les dégâts causés aux arbres par la terrible tempête de verglas de ce mois de janvier. Des arbres centenaires faisaient tout le charme de ce prestigieux quartier de Montréal et, voilà qu'en une seule journée, ils avaient été décimés par une épaisse couche de glace de plusieurs centimètres. De toute son histoire, jamais la ville n'avait connu pareil désastre. *Mais cela n'est rien, se disait-elle, en comparaison du drame vécu par des centaines de milliers de personnes privées d'électricité depuis bientôt cinq semaines et obligées de vivre la promiscuité des diverses salles communautaires aménagées tant bien que mal par les autorités des villes de banlieue.*

Chanceuse d'avoir de l'électricité, Marie-Anne avait allumé son téléviseur et écoutait d'une oreille distraite une autre de ces émissions spéciales diffusées par la télévision d'État. L'animateur, parlait de plus de vingt mille foyers toujours plongés dans le noir dans « le triangle de glace », cette région au sud de la grande ville, où des dizaines de pylônes n'avaient pu tenir le coup et s'étaient effondrés comme des châteaux de cartes. Le réseau d'alimentation devait être entièrement reconstruit pour redonner lumière et chauffage à la population.

Bien à l'abri dans sa demeure, Marie-Anne ressentit soudain une profonde compassion pour les sinistrés et se promit de faire parvenir dès le lendemain un chèque substantiel à la Croix-Rouge pour leur venir en aide. Sa chatte Ronron vint se frotter à ses jambes comme elle le faisait chaque soir pour recevoir sa dose de caresses.

Elle la saisit d'une main et se dirigea vers son fauteuil préféré, un fauteuil de l'époque de la reine Anne d'Angleterre, dont elle avait hérité d'une lointaine parente. Elle s'y installa confortablement et tenta de se concentrer sur le reportage télévisé. Un responsable d'Hydro-Québec expliquait la situation et vantait les efforts déployés par les équipes de monteurs de lignes pour rétablir le courant.

Le carillon de la porte d'entrée vint la tirer de ses pensées. Mais qui donc pouvait venir la déranger à 21 h 30 un dimanche, et par un temps pareil ? Elle fit glisser Ronron de ses genoux et alla ouvrir. Toute pâle et grelottante de froid, avec Justine dans ses bras, Barbara poussa la porte pour pénétrer à l'intérieur.

« Bonsoir, maman !

– Barbara ! Que se passe-t-il ? Tu parles d'une heure pour venir me visiter ! Et à 20 sous zéro en plus ! »

Barbara tenta de cacher son désarroi et inventa n'importe quel prétexte pour justifier son arrivée inopinée.

« J'avais besoin de sortir et je me suis dit que ça te ferait plaisir. Je ne te dérange pas, j'espère ?

– Tu ne me déranges jamais, tu le sais bien », répliqua Marie-Anne en prenant sa petite-fille tout endormie dans ses bras. Tu es sûre que tout va bien ?

– Ça va, ça va. J'ai juste un peu froid. Je ne pensais pas que le vent était aussi glacial. »

Barbara retira ses bottes, accrocha son manteau dans le placard de l'entrée et vint rejoindre sa mère au salon.

Marie-Anne avait eu le temps de déshabiller Justine et la tenait dans ses bras comme seules les grands-mamans savent le faire. Barbara se laissa tomber dans un fauteuil et éclata en sanglots.

« Barbara, ma petite, que se passe-t-il ?

– C'est Bob, maman. Mon toxicomane de mari a encore fait une rechute ! Je n'en peux plus. Je ne sais plus quoi faire. Je ne veux plus rentrer à la maison.

– Je vais coucher Justine dans mon lit et tu me raconteras tout après. Viens avec mamie, mon amour. »

Marie-Anne se leva et se dirigea vers sa chambre avec la petite dans les bras. Ronron les suivit de près, sauta sur le lit et vint se pelotonner contre Justine sur le couvre-lit. Marie-Anne les laissa, persuadée que le confort douillet du lit viendrait à bout de leur fatigue. La chatte et l'enfant s'endormirent aussitôt. Elle quitta la pièce mais laissa la porte entrebâillée pour bien entendre Justine au cas où elle se réveillerait.

En pénétrant dans le salon, elle constata que Barbara pleurait toujours dans son coin mais semblait s'être calmée quelque peu.

« Viens à la cuisine, nous serons mieux pour parler. Je vais te préparer un bon café fort comme tu l'aimes. Ça te fera du bien. »

Barbara ne se fit pas prier. Elle suivit sa mère dans le long corridor sombre qui débouchait sur une salle à dîner aménagée avec goût. Elle tira une chaise et s'y laissa tomber, rompue de fatigue et de désespoir. Elle posa les coudes sur la table et s'enfouit la tête dans les mains.

« Ah ! maman, que ferais-je sans toi ?

– Si les mères ne peuvent pas aider leurs filles maintenant, à quoi d'autre sont-elles bonnes ? Comme ça Robert a fait une autre rechute ? » lança-t-elle en versant l'eau bouillante dans la cafetière.

– Oui, et c'est la troisième fois. J'ai beau y réfléchir, je ne comprends pas comment un médecin peut devenir héroïnomane. Il a vu tellement de drogués et d'alcooliques qu'il devrait pourtant en connaître les conséquences depuis le temps. Et je ne me trouve pas plus brillante. Je suis infirmière ; j'aurais dû m'apercevoir de son état. Si j'avais pu m'en rendre compte, j'aurais pu l'aider quand il en était encore temps. Saloperie de drogue !

– Il s'agit du problème de Robert, ma chérie, pas du tien. Même si tu te culpabilises, ça n'arrangera rien. Il est malade et ça ne te donnera rien de tomber malade à ton tour. Pense un peu à toi... et à Justine. »

Barbara, trop concentrée sur son drame personnel, n'entendit pas le sage conseil de sa mère.

« Je ne comprends pas pourquoi Robert me fait ça. J'ai toujours entendu dire qu'un toxicomane tentait de fuir une profonde souffrance. Mais là..., je ne vois pas. Il touche un salaire plutôt respectable, nous ne nous débrouillons pas trop mal. Je gagne bien ma vie, nous sommes en santé, nous avons une petite fille adorable, alors... Tu sais, maman, je n'ai jamais osé te le dire, mais nous avons même eu de la difficulté à défrayer les coûts de sa dernière thérapie. En vain...

– Vous avez des soucis financiers ?

– Il doit de l'argent à tout le monde. Je pense qu'il prend également de la cocaïne. Il reçoit des téléphones de menaces à la maison. L'autre soir, il a pris l'argent de l'épicerie dans mon sac, en cachette évidemment. Et tout cela n'est que la partie visible de l'iceberg. Je crains pour la sécurité de la petite. Quand Bob l'a emmené en voiture la semaine dernière, il était complètement « gelé » ; c'est un vrai miracle qu'il n'ait pas eu d'accident. Ça n'aurait pas été le premier d'ailleurs. Je fais pourtant tout mon possible pour aider mon mari. Après sa dernière cure, j'avais repris espoir. Je me disais : *"Ça y est, nous avons gagné !"*

– Tu dis "nous" comme s'il s'agissait de ta victoire aussi.

– Évidemment. Ce qui rend mon mari heureux me rend heureuse et ce qui le rend malheureux me rend malheureuse. C'est normal, non ? Je me disais : *Je vais finir par le sauver.* Mais juste avant les fêtes, après avoir pris quelques verres au party de l'hôpital, il a encore rechuté. Il a tenté de me le cacher. Il me mentait, mais comme je l'épiais sans relâche, j'ai vu clair dans son jeu plus vite que d'habitude. Maman, j'ai réellement tout fait pour l'aider. Quand l'hôpital appelait pour lui parler, j'inventais des excuses pour le couvrir, pour justifier ses absences.

– Ma pauvre enfant, ta vie est devenue un véritable enfer. Tu travailles, tu gagnes bien ta vie, pourquoi ne le quittes-tu pas ?

– J'y ai pensé, mais j'ai épousé cet homme pour le meilleur et pour le pire. Il est malade ; je ne peux quand même pas l'abandonner au moment où il coule à pic. Je ne suis pas une irresponsable, une égoïste. Ça ne se fait pas ! Je me demande bien à quoi tu penses en me suggérant ça.

— Je pense à l'important d'abord, à ce que tu as perdu de vue : ton bien-être et celui de Justine. Elle n'a pas à subir tout ça. Si nous parlions de responsabilité justement, la première personne dont tu es responsable dans la vie, c'est de toi-même et, en deuxième lieu, de ta fille. L'avais-tu oublié ? Si tu ne t'occupes pas de toi, qui le fera ? Songe à te protéger, aime-toi, sois bonne avec toi-même, nourris d'abord ta propre estime de toi, sinon tu ne t'en sortiras jamais. Nous ne sommes tout de même pas responsables des choix des autres. Le problème de toxicomanie de Robert est le sien ; c'est à lui de le régler. Ta vie t'appartient. À toi de décider ce que tu en feras. Oui, tu peux reprendre le contrôle de ta vie mais arrête d'être hantée par cette idée de contrôler sa maladie. Lâche prise ! Admets ton impuissance, ma fille, ne livre pas un combat perdu d'avance.

— Tu parles d'estime... Je n'en ai plus du tout pour lui, encore moins pour moi-même. Je suis au bord de la dépression et mon travail en souffre. Qu'allons-nous devenir si je perds mon emploi ? Quant à la petite, je vois bien jusqu'à quel point l'atmosphère de tension et de chicane dans laquelle nous vivons la perturbe. J'avais rêvé d'une vie dans l'amour et la paix pour elle ! La voilà obligée de vivre avec un père drogué et une mère incapable de gérer sa vie. Et tu me dis de lâcher prise ? d'admettre mon impuissance ? Mais ce sera la fin de tout alors !

— Barbara, ce sera la fin de tout si toi, tu craques. Comment peux-tu aider Robert et ta fille si tu es à bout ? La personne qui a le plus besoin d'aide en ce moment, c'est toi. Et dès que tu auras eu l'humilité d'admettre ta faiblesse, tu seras à même d'accepter cette aide.

— Comment ça, admettre ma faiblesse ? Pour endurer ce que j'endure depuis plusieurs années, je dois être drôlement forte, tu ne penses pas ?

— Non, ma chérie, une personne forte sait établir ses limites, mais toi tu sembles être incapable de le faire. Actuellement, tu te laisses détruire par la toxicomanie de ton mari. C'est ton choix ! Un choix assez névrosé, avoue-le. Tu aurais besoin de prendre du recul, de faire une bonne thérapie pour te retrouver. Tu peux encore t'en sortir, recouvrer la joie de vivre. Mais il te faudra faire le deuil de cette relation toxique. En tout cas, si tu veux réellement t'en sortir, je suis là pour t'aider, mais ne me demande pas de t'appuyer dans ta démarche actuelle qui est une forme d'autodestruction. Ça n'a rien à voir avec de l'amour, crois-moi. C'est à toi et à personne d'autre de passer à l'action, de poser les gestes nécessaires pour régler cette intolérable situation. »

Barbara étouffe sous les sanglots. Elle n'a même pas touché son café. L'affreux drame occupe toutes ses pensées, la hante, l'obsède. Avec tendresse, Marie-Anne pose sa main sur la nuque de sa fille et la fait glisser jusqu'à son cou où elle découvre avec horreur des marques bleues suspectes.

« Qu'est-ce que c'est, ma chérie ? » demande-t-elle le cœur serré et inquiète de la réponse.

– C'est Bob, maman. Quand il est en manque, il devient violent et ne se contrôle plus. Il m'a frappée tout à l'heure ; alors, je me suis enfuie. J'ai peur qu'il s'en prenne à la petite. Déjà qu'il crie souvent après elle...

– Et il te bat en plus ? Je le savais que ce n'était pas un homme pour toi. Tu méritais mieux... Oh ! excuse-moi, ma chérie, je ne voulais pas dire ça...

– Tu as sans doute raison. Malgré tout, je tiens à lui. Je ne peux pas m'en passer. Je l'aime, même si je suis piégée par cet amour.

– Barbara, allons...

– Nous en reparlerons, maman, mais pas ce soir, je suis complètement épuisée. J'ai besoin de dormir et de réfléchir à tout ça.

– D'accord, nous y reviendrons. Je te prépare le lit dans la chambre d'amis et je vais garder Justine dans mon lit. Tu pourras dormir demain. Va faire ta toilette, je m'occupe de tout. »

Marie-Anne se leva, rangea les tasses sur le comptoir et éteignit les lumières. Elle alla fouiller dans le tiroir d'une commode et en sortit un ensemble de draps imprimés de jolies fleurs bleues et une couverture de laine épaisse. Elle fit le lit avec soin et ne laissa que la lampe de chevet allumée pour créer un éclairage tamisé.

Lorsque Barbara sortit de la salle de bains, Marie-Anne ne put s'empêcher d'admirer la beauté de sa fille. À 26 ans, elle avait de longues jambes effilées de mannequin, une chevelure superbe et un visage si doux malgré ses yeux rougis par les pleurs. Elle l'embrassa sur la joue lorsqu'elle la croisa.

« Va te coucher, je vais aller te border dans un instant comme si tu étais encore toute petite. »

Elle se dirigea d'abord vers sa chambre et en ressortit bientôt tenant à la main une petite feuille pliée en deux. Barbara était déjà couchée lorsqu'elle vint la rejoindre. Elle déposa la feuille sur la table de chevet, passa sa main sur l'épaule de sa fille et l'embrassa de nouveau tendrement.

« Bonne nuit, ma chérie », se contenta-t-elle de dire avant de la quitter.

Barbara prit la feuille, la déplia et l'approcha de la lampe. Le message semblait avoir été écrit pour elle : « J'ai subi une offense, mais je ne suis pas offensé au fond de mon être. » Elle eut un mouvement de frustration. Elle avait besoin d'écoute et de compassion, pas de morale ! De quoi sa mère se mêlait-elle ? Elle froissa la feuille et la lança avec colère dans un coin de la chambre. Elle éteignit la lampe et posa sa tête sur l'oreiller en fixant le plafond. Croire en elle-même : était-ce la solution ?

* * *

Marie-Anne retourna au salon et jeta un coup d'œil au téléviseur resté allumé tout ce temps. Rien d'intéressant. Elle éteignit l'appareil et alla s'installer à la fenêtre. Le vent était tombé et la rue complètement déserte. L'épaisse couche de glace qui recouvrait les trottoirs brillait sous la pleine lune. Avec les branches d'arbres qui jonchaient les parterres, le paysage était lugubre et elle se sentit chanceuse d'être bien au chaud chez elle.

Un silence profond planait sur la maison. Il était tard mais le sommeil la fuyait. Avait-elle trouvé les mots voulus pour aider sa fille ? Une lourde responsabilité pesait sur elle, elle le sentait bien. L'avenir de sa fille et de sa petite-fille était en jeu. Mais elle ne pouvait prendre de décision à la place de Barbara qui, obnubilée par cette absurde idée de contrôler son drogué de mari, était en train de ruiner sa vie.

La rage s'empara d'elle en pensant à Robert. Elle n'avait jamais beaucoup aimé son gendre et se réjouissait souvent de son absence lors des fêtes de famille. Même si elle ne voulait pas l'admettre, le fossé qui séparait leurs origines l'avait toujours exaspérée.

Robert était issu d'une famille d'agriculteurs assez pauvres de l'Estrie et seules sa volonté et sa détermination l'avaient amené à réussir ses études de médecine. À la fin de son cours, plutôt que d'ouvrir son propre cabinet ou de tenter de devenir directeur d'un hôpital prestigieux, son idéalisme l'avait poussé à travailler à la clinique communautaire d'un quartier ouvrier. Après quelques années dans ce milieu, il avait accepté un poste d'urgentologue dans un petit hôpital de banlieue. Même si son salaire était suffisant pour leur assurer un certain confort, le couple semblait toujours être à court d'argent. Marie-Anne comprit pourquoi ils menaient une existence aussi étriquée quand elle apprit que son gendre se droguait. Dire qu'elle croyait tout simplement à un manque d'idéal et d'ambition. Chose certaine sa fille méritait mieux .

Quand il se mit à se piquer à l'héroïne, Robert perdit, à ses yeux, le peu d'estime qu'elle pouvait encore garder pour lui. Elle n'avait jamais voulu croire à ses chances de rétablissement et sa première rechute avait confirmé ses pensées à cet égard. Deux longues cures fermées suivies de deux rechutes. Qui plus est, son gendre devenu violent agressait maintenant sa fille adorée. *« S'il pouvait seulement disparaître de sa vie une fois pour toutes »*, pensa-t-elle folle de rage.

Marie-Anne se sentit soudain vidée de toute énergie, épuisée. Avait-elle été trop dure avec sa fille en pleine dénégation des problèmes qu'elle devait affronter ? Elle voulait bien l'aider et la soutenir mais elle se refusait à l'encourager dans sa décision de sauver Robert. Elle se sentit tout à coup bien impuissante… autant que Barbara pouvait l'être par rapport au problème de son mari, autant que ce dernier pouvait l'être face à sa dépendance aux drogues. Elle ressentit alors un profond désarroi. Allait-elle assister à la destruction de sa fille chérie sans pouvoir intervenir ? Impensable. Que faire alors ? Elle se rappela soudain ses propres paroles à Barbara : « Il faut savoir lâcher prise. » Ce constat ajouta à son angoisse. Il devait bien y avoir une autre solution.

Tout à coup, le visage de son père apparut dans son esprit. Elle ressentit le besoin impérieux de lui parler. Elle ne pouvait attendre plus longtemps. Malgré l'heure tardive, elle s'approcha du téléphone et composa son numéro.

Dès la deuxième sonnerie, quelqu'un décrocha et une voix plutôt brusque se fit entendre.

« Allô !

– C'est toi, papa. Oh ! je m'excuse de te téléphoner si tard. Je n'arrivais pas à dormir et comme tu ne te couches jamais avant minuit, j'ai tenté ma chance. Comment vas-tu ?

– Ça va, ça va. Excuse mon ton mais il m'arrive souvent d'avoir des appels à cette heure et ce sont toujours de faux numéros. Tu ne me déranges pas. Je regardais un film insipide à la télévision. Mais toi, comment vas-tu ?

– Oh, ça pourrait aller mieux. Barbara m'est arrivée en milieu de soirée avec Justine et... »

Pendant de longues minutes, Marie-Anne lui expliqua les déboires de sa fille. Elle avait tant besoin de tout raconter, de ne pas garder cela pour elle toute seule. John l'écouta avec patience, sans l'interrompre ; c'est à peine s'il poussa des oh ! et des ah ! pour lui signifier sa présence au bout du fil. Il sentit son désarroi sans pour autant chercher à la prendre en pitié. Il compatissait à sa douleur mais il savait bien que si sa fille lui avait téléphoné c'était avant tout pour se confier. Pour le moment, l'écoute lui suffisait comme réconfort. La force morale proverbiale des membres de la famille n'empêchait aucunement l'expression d'une certaine faiblesse à l'occasion. Cela lui était déjà arrivé et il concevait très bien que la même chose puisse arriver à sa fille. Quand elle eut terminé son récit, John murmura quelques paroles d'encouragement. Il tenta de la rassurer. Tout finit par s'arranger, c'était sa philosophie depuis de longues années. À 86 ans, il en avait vu de l'eau couler sous les ponts !

« Viens faire un tour demain. J'aurai une surprise pour toi. En attendant, essaie de dormir. Bonne nuit, ma fille.

– Bonne nuit, papa. Et merci de m'avoir écoutée. J'avais tant besoin de parler à quelqu'un. »

* * *

John déposa le combiné d'une main un peu tremblante. Il avait fort bien compris le profond désarroi de sa fille. Intuitivement, il savait que le temps était venu de lui léguer une part importante de son héritage. Il ne s'agissait pas d'argent, elle en avait suffisamment, mais de quelque chose de beaucoup plus précieux.

Il grimpa au grenier par le petit escalier étroit menant à une trappe au plafond. Il fit glisser le loquet et la porte grinça sur ses gonds rouillés par les années. John posa le doigt sur le commutateur et une ampoule suspendue au bout d'un fil éclaira toute la pièce. Il put enfin pénétrer dans ce véritable capharnaüm aux trésors inestimables. Tout antiquaire ayant l'occasion de visiter ces lieux y découvrirait une véritable mine d'or, de quoi satisfaire ses clients les plus exigeants. Il y avait là, re-couverts d'une épaisse couche de poussière, des coffres de voyage, une grande table en chêne massif et des chaises assorties dans un état de con-servation surprenant, plusieurs lampes d'un autre âge et une multitude d'objets plus hétéroclites les uns que les autres.

John trouva tout de suite ce qu'il cherchait. Sous l'unique lucarne ouverte dans la toiture, une malle de cuir brun reposait là, oubliée depuis des années. Il s'approcha, en défit avec soin les courroies épaisses et ouvrit la serrure qu'aucun cadenas n'entravait. Une foule de sou-venirs lui revinrent à l'esprit. Il retrouva son habit militaire, son arme de poing et les quelques décorations dont on l'avait honoré à son retour du front, sa première trousse de médecin de l'époque où les visites à domicile étaient monnaie courante, deux ou trois cahiers dans lesquels il notait chacune de ses consultations et certaines bricoles rapportées de ses nombreux voyages. Il déplaça tant bien que mal tout cela et dé-couvrit, au plus profond de la malle l'objet recherché : un vieux coffret de bois déposé là depuis des années. Il en fut ému rien qu'à le regarder. Pour une dernière fois de sa vie peut-être, il aurait l'occasion de le toucher et d'en apprécier le contenu.

Il le prit le plus délicatement du monde, s'installa sous la lumière et le caressa doucement avant d'en soulever le couvercle. Il était fort ému, sachant d'avance combien son contenu le remuerait, lui ferait revivre des moments difficiles, mais également un moment sublime, un seul... d'une rare intensité : ce jour béni où il reçut ce coffret dans des circonstances miraculeuses. C'était à sa fille maintenant de profiter de cette richesse. Marie-Anne ne s'en doutait guère mais, grâce à un battement de cœur magique, son existence tout entière en serait complètement transformée.

Chapitre 2

LE COMBAT

ANGLETERRE, 1944

John s'était engagé dans l'armée canadienne à titre de médecin au début de 1943. À l'automne, après quelques mois de préparation, il débarquait en Angleterre en compagnie du régiment auquel il était attaché.

La guerre faisait rage un peu partout en Europe; les troupes hitlériennes occupaient la France, la Belgique, la Hollande, le Luxembourg et à peu près tous les pays de l'Est, jusqu'à la lointaine Russie. Seule la vaillante Angleterre résistait encore, malgré la pluie de bombes larguées de façon quasi quotidienne sur sa capitale.

Entre Londres et Southampton, d'immenses champs avaient été transformés en camps militaires. On y avait dressé des milliers de tentes pour les soldats, américains et canadiens pour la plupart, dans l'attente du signal de départ pour l'offensive de libération de la France. Les combattants, confinés à leurs campements, n'avaient droit qu'à un jour de permission aux deux semaines.

John avait profité de sa première sortie pour rendre visite à sa grand-mère Ann-Mary habitant West End, à quelques kilomètres de Southampton. Malgré leurs rares rencontres, il vouait une affection peu commune à cette vieille dame et n'aurait voulu pour rien au monde rater l'occasion de la revoir après toutes ces longues années. Grande voyageuse devant l'Éternel, Ann-Mary avait fait quelques visites éclair à Montréal quand il était encore enfant. À l'adolescence, il avait passé ses vacances estivales chez elle. Cette chance de renouer contact le comblait d'aise.

Après cette première visite, à peine avaient-ils pu se parler au téléphone une fois ou deux, les communications étant difficiles en temps de guerre.

Le 12 mai 1944, John avait droit à une permission d'un jour; il jugea le moment propice à rencontrer sa grand-mère une seconde fois. Il réussit à entrer en communication avec elle par téléphone. Enthousiaste, elle lui fixa rendez-vous au salon de thé du musée municipal de Southampton sur Civic Center Road.

Ce matin-là, une jeep militaire l'amena du camp à la ville toute proche. Il aurait tout le temps voulu pour s'y promener avant de se rendre au musée. En cours de route, il remarqua combien la ville avait souffert des bombardements. Plusieurs édifices magnifiques étaient éventrés quand ils n'étaient pas complètement détruits. Les rues étaient jonchées de débris de toutes sortes et plusieurs automobiles, abandonnées ici et là, étaient totalement écrasées sous les immeubles effondrés.

En arrivant au musée, John se rendit directement au petit salon. Sa grand-mère y était déjà attablée en compagnie d'une dame un peu plus jeune qu'elle. Le garçon de table venait de leur apporter une tasse de thé et un plateau de biscuits. On ne pouvait servir autre chose durant cette période de disette. Ann-Mary présenta son petit-fils à sa compagne qui, tout à la joie de revoir sa grand-mère, ne lui prêta pas tellement attention. Il la salua tout de même avec la politesse requise en lui lançant le traditionnel : «How do you do?» auquel les flegmatiques Anglais ne répondent jamais. Puis il se tourna vers Ann-Mary.

«Comment vas-tu, mon garçon?

– Très bien, je vous remercie, mais j'en ai assez d'être confiné au camp. J'ai bien hâte d'être dans le feu de l'action. Je ne me suis pas engagé comme médecin militaire pour soigner des rhumes, des maux de gorge et pour distribuer des antibiotiques pour les cas de syphilis.

– Ne sois pas trop pressé, John, des choses horribles pourraient te marquer pour le restant de tes jours. Crois-moi, la guerre n'est pas un jeu mais la chose la plus effroyable que l'on puisse imaginer. À ta place, je souhaiterais plutôt mon rapatriement au Canada le plus rapidement possible.

– Cela ne risque pas de m'arriver. Il devrait y avoir de nouveaux développements sous peu. On s'attend à embarquer pour la France dans les prochains jours. Ce ne sont que des rumeurs pour l'instant, mais ça semble vrai cette fois.

– On en parle depuis longtemps en effet. Je prie le bon Dieu qu'Il te protège et qu'Il protège tes camarades aussi. Mais dis-moi, John, donnes-tu de tes nouvelles à ton père de temps à autre ? Il doit être bien inquiet pour toi.

– Je lui ai écrit deux ou trois fois depuis mon arrivée », répondit John en baissant les yeux pour cacher son mensonge.

En fait, John lui avait tout au plus envoyé un petit mot laconique : « Traversée sans problème. La santé est bonne. À bientôt, John. » Il n'avait pas senti le besoin de lui réécrire. Leurs relations étaient plutôt tendues car Harry avait adopté Jacob comme second fils. John avait été incapable d'accepter le fait de perdre l'exclusivité de l'attention paternelle. De plus, ce demi-frère rebelle était incapable de reconnaissance et de gratitude envers Harry, son père adoptif. John avait beau faire tous les efforts du monde, il avait toujours l'impression d'être traité avec très peu d'égards par son père. Seule sa réussite universitaire en médecine avait reçu l'approbation de cet homme froid et orgueilleux. Il se contentait donc d'aller le saluer le jour de son anniversaire et à Noël. Avec le temps, ils étaient devenus de parfaits étrangers l'un pour l'autre.

Il promit toutefois à sa grand-mère de faire un effort.

« Je lui écrirai dès cette semaine », dit-il d'un ton contrit, comme un petit enfant surpris à faire un mauvais coup.

– Je dois lui écrire, moi aussi. Je lui ferai part de notre rencontre et je lui dirai combien ça m'a fait plaisir de te revoir. Tu sais, John », ajouta-t-elle d'un même élan, tu n'as qu'un père, et même si tu ne t'entends pas bien avec lui, il restera toujours ton père. Un jour ou l'autre, tu auras peut-être besoin de lui et tu en réaliseras alors toute l'importance.

– Vous avez raison, grand-maman. Je vais réfléchir à tout cela, c'est promis. Mais je dois partir maintenant si je ne veux pas arriver en retard au camp.

– Nous devons partir aussi. Accompagne-nous jusqu'à la sortie. »

John se leva, laissa quelques pièces de monnaie sur la table malgré les protestations d'Ann-Mary et prit les deux dames par le bras. Au pied des marches à l'extérieur du musée, il salua la compagne de sa grand-mère et embrassa affectueusement Ann-Mary sur les joues.

« Au revoir, grand-maman. Faites attention à vous. Si je repasse par l'Angleterre avant de rentrer au Canada, je reviendrai vous voir, c'est promis.

– Au revoir, John. Bonne chance et God bless you !, comme disent les Américains. »

Il fit quelques pas puis se retourna en faisant un signe de la main aux deux dames. Qui sait, il voyait peut-être sa grand-mère pour la dernière fois.

Il marcha une quinzaine de minutes en direction du lieu de rendez-vous fixé avec le chauffeur de la jeep. Chemin faisant, il songeait aux paroles de sa grand-mère mais, malgré la sagesse dont elle avait fait preuve, Ann-Mary ne l'avait pas convaincu et il oublia bien vite sa promesse d'écrire à son père.

* * *

Le 1er juin de la même année, le général Crerar, de la première armée canadienne à laquelle était rattaché John, réunit ses troupes tôt le matin et annonça la suspension de toutes les permissions. Un débarquement massif devait avoir lieu dans les prochains jours en France mais la date exacte et les modalités d'embarquement demeuraient secrètes. Il distribua les tâches, donna ses ordres et, avant de permettre à ses hommes de rompre les rangs, il demanda à Dieu de leur venir en aide. Les soldats baissèrent la tête et se recueillirent un instant.

Ce jour-là et les suivants, une grande émotion se fit ressentir dans tout le camp. Certains hommes étaient fébriles devant la perspective du combat, d'autres manifestaient leur peur en tremblant, en vomissant ou en pleurant sans arrêt.

John n'eut pas le temps de s'apitoyer sur son sort. Chargé de réunir tout le matériel médical disponible dans le camp, il passa de longues journées à tout vérifier et à faire des pressions auprès de ses supérieurs pour qu'on lui fournisse plus de médicaments, plus de morphine, plus de bandages. Tout devait être prêt. Il prépara les infirmiers sous ses ordres à passer des traitements les plus simples aux plus compliqués.

Quelques jours plus tard, le général annonça que l'embarquement se ferait au cours de la nuit pour une destination toujours secrète. Il réunit ensuite ses officiers et leur transmit les détails de l'opération. Un peu avant 20 heures, les troupes marchèrent en rangs serrés jusqu'à Southampton où une spectaculaire armada était réunie. John suivait les pelotons à bord d'un camion militaire. Arrivé au port, il ouvrit bien grand les yeux. La rivière La Teste était couverte d'une rive à l'autre par une multitude de navires.

Le spectacle devait être le même plus à l'est, du côté de la rivière Itchen, imagina John. L'opération «*Overload*» pouvait commencer. Il faisait nuit noire quand son bateau quitta le port et, aux premières lueurs de l'aube, il put se rendre compte de l'importance de la flotte qui traversait la Manche en direction des côtes normandes.

Le tableau était impressionnant. Près de 7 000 navires de toutes tailles sillonnaient le bras de mer. Sur 17 kilomètres de front, on apercevait un bateau tous les 70 mètres. Ils transportaient 185 000 hommes et 20 000 véhicules et, simultanément, 12 000 avions étaient chargés de prendre le contrôle des airs et de bombarder les forces allemandes selon les indications fournies par les résistants français.

La mer était houleuse. Tous les bateaux, y compris ceux occupés par les soldats canadiens, avançaient péniblement. Leur destination : «*Juno Beach*», nom de code donné à une plage près de Bernières-sur-mer. Leur mission : libérer le village de Courseulles et se diriger vers Caen mais fallait-il avant tout traverser la côte, contrôlée par les lignes allemandes ?

Les troupes débarquèrent vers 20 heures, à quelques mètres de la berge, et furent immédiatement accueillies par un feu nourri provenant des dizaines de blockhaus hérissés de canons, de mortiers et de mitrailleuses. John et son équipe médicale devaient attendre les ordres avant de quitter le bateau. De sa position privilégiée, il put constater l'horreur à laquelle devaient faire face les soldats. Certains ne parvinrent même pas à la plage, fauchés par les tirs allemands dès leur sortie des péniches. Ce fut un véritable carnage. Les morts et les blessés se comptaient par centaines.

Quand John mit pied à terre, le combat faisait toujours rage. Ces visions insoutenables étaient difficiles à supporter. Des dizaines de cadavres jonchaient la mer rouge de sang. Sur la plage, on entendait la clameur des centaines de blessés appelant à l'aide. John et son équipe d'infirmiers firent tous les efforts possibles pour porter secours aux plus mal en point. Le panorama qui s'offrait aux regards effarés était horrible à voir : des bras arrachés par les tirs de mortiers, des jambes transpercées par les balles des mitrailleuses, des visages massacrés par les éclats d'obus. Certains succombaient à leurs blessures sous leurs yeux, souffrant d'atroces douleurs; d'autres, plus chanceux, étaient ramenés sur des civières vers les barges et rapatriés en Angleterre la journée même.

Malgré de très lourdes pertes, l'opération militaire fut une réussite. On parvint, non sans peine, à contrôler les forces ennemies et à devenir maîtres des blockhaus.

John passa de longues heures à soigner les malheureux soldats, à panser leurs plaies et à leur injecter de la morphine pour diminuer la douleur. Tout en s'affairant, il ne pouvait s'empêcher de déplorer toutes ces pertes de vie inutiles à cause d'un mégalomane ivre de pouvoir. Il se sentit soudain très déprimé. L'être humain est tellement vulnérable face aux forces du mal. Puis il se souvint de sa dernière conversation avec sa grand-mère. Très croyante, elle lui disait prier pour l'avènement de la paix. Pour Ann-Mary, la lumière venait toujours à bout des ténèbres; il fallait faire confiance.

* * *

John l'ignorait mais, depuis un bon moment déjà, la vie lui gardait en réserve un événement qui changerait le cours de son existence.

Cet événement avait pris racine à l'automne 1938. Ann-Mary, l'arrière-arrière-grand-mère de Barbara, avait reçu une lettre de son fils Harry, installé à Montréal depuis plus de vingt ans. Jacob, son fils adoptif avait encore disparu . Cette missive allait donc chambouler la vie de la vieille dame, car avant la guerre, Jacob était retourné en France afin de retrouver sa mère naturelle. Ce simple petit mot de Harry laissait Ann-Mary en proie aux émotions les plus profondes. Comment allait-elle retrouver maintenant le disparu ? À 86 ans, il n'était pas question à son âge de se rendre en France sans savoir précisément où il se trouvait.

Chaque jour, elle demandait à Dieu de lui venir en aide ; elle n'invoqua pas Dieu en vain car sa prière fut exaucée. Le dimanche précédant Noël, elle se rendit à l'église comme à son habitude et remarqua l'accent français du pasteur chargé de la cérémonie. L'office terminé, elle alla le trouver. Leur courte conversation mit fin à ses angoisses.

« Mon père », dit-elle, « vous n'êtes pas d'ici, je crois ?

– Vous avez raison, madame, je suis de Rouen, en France. Je suis venu rendre visite à quelques amis à Southampton et je dois repartir demain.

– De Rouen ! Dieu est vraiment bon pour moi. Pourriez-vous passer me voir cet après-midi, j'aurais un service à vous demander ? »

Le padre fut surpris de la requête mais accepta volontiers de venir en aide à la vieille dame. Il se rendit donc chez elle et Ann-Mary lui expliqua en long et en large l'objet de sa démarche. Elle lui parla d'un certain Abraham, de la mission qu'il lui avait confiée, c'est-à-dire de retrouver son petit-fils et de lui remettre un coffret. Le padre l'écouta.

« Si je comprends bien, madame, vous me demandez de retrouver votre Jacob ? La France est grande. C'est comme chercher une aiguille dans une botte de foin.

– Vous êtes mon seul espoir, mon père. S'il vous plaît, rendez-moi ce service, je prierai pour vous et Dieu vous aidera. Il m'a déjà écouté. Il peut sûrement faire un petit effort de plus. »

Le padre s'étonna intérieurement que l'on se serve ainsi de Dieu pour réaliser ses quatre volontés, mais après tout cette requête venait d'une vieille dame de 86 ans, aussi pardonna-t-il cette faiblesse.

Il quitta la résidence cossue d'Ann-Mary, portant sous son bras un colis précieusement emballé dans un papier épais et attaché avec une solide corde de lin. Le lendemain, il s'embarquait pour Le Havre.

* * *

Il retrouva avec plaisir sa petite chambre sise sous les combles de l'Hôtel-Dieu de Rouen où il assumait la charge d'aumônier. Il célébra Noël en compagnie de ses patients et leur organisa même une petite fête durant l'après-midi. Après avoir rangé le colis dans son placard, il l'y oublia pour quelque temps.

Les mois passèrent et, en septembre, la guerre éclata. Dès mai 1940, les Allemands occupaient les régions du nord et l'hôpital de Rouen reçut de nombreux blessés. Le personnel était surchargé. Même l'aumônier devait mettre la main à la tâche. Le rationnement imposé par le gouvernement compliquait sérieusement la vie quotidienne car de plus en plus de civils souffraient de la faim.

L'armée hitlérienne établit ses quartiers généraux à l'hôtel de ville. Seuls quelques résistants tentaient, par du sabotage et des attaques nocturnes, de nuire à leur hideux contrôle. Quatre longues années durant, les Rouennais durent courber l'échine et supporter cette présence odieuse et hostile.

Le padre, aux prises avec toutes sortes d'urgences, avait d'autres préoccupations que de rechercher un Canadien d'origine française pour le bon plaisir d'une vieille Anglaise qu'il connaissait à peine. Néanmoins, il fit parvenir quelques courtes lettres à Ann-Mary pour l'assurer de ses efforts et de ses prières.

Et voilà qu'un matin de septembre 1943, on amena à l'Hôtel-Dieu cinq blessés en piteux état. Le premier mourut quelques heures après son admission. Le deuxième était à ce point grièvement blessé aux jambes qu'on doutait qu'il puisse jamais marcher de nouveau. Les trois autres, rapidement soignés pour des blessures mineures, furent renvoyés dans leurs foyers peu de temps après. Ces militants de la Résistance, trahis par des collaborateurs, avaient raté un important coup contre une patrouille allemande. Il était donc risqué de les garder à l'hôpital plus longtemps. Les officiers nazis y faisaient des visites régulières pour capturer les Français dont la tête était mise à prix. Ils abattaient souvent leurs prisonniers de sang-froid devant la porte de l'hôpital, sous les yeux d'une population horrifiée, question de faire d'eux des exemples.

On confina l'unique blessé grave dans un réduit, loin des regards des autres patients et surtout de ceux des S.S. Seuls le médecin, l'infirmière et le padre étaient autorisés à lui rendre visite. Matin, midi et soir, le pasteur lui apportait ses repas et tentait d'échanger quelques mots avec lui. Les premiers jours, sous l'effet de puissants calmants, le maquisard affaissé parlait à peine. Quand le padre lui demanda son nom, il répondit « Yvon », c'était visiblement un nom de code. L'aumônier s'étonna de son accent étranger. Il parlait un excellent français mais comme quelqu'un ayant été élevé dans un milieu anglophone. Il n'en fit pas de cas et le laissa se reposer.

Les jours suivants, il l'interrogea sur sa participation à la Résistance tout en démontrant qu'il était solidaire de l'action de ces hommes, des jeunes pour la plupart. Le groupe auquel « Yvon » appartenait avait commencé ses activités en cachant des Juifs ou en leur permettant de s'enfuir à l'étranger. Ils avaient également secouru des aviateurs anglais dont les appareils avaient été abattus dans le ciel français. « Yvon » fut rapidement affecté à la collecte d'informations sur les positions allemandes, informations relayées aux Alliés par l'entremise d'autres Français installés en Angleterre. Ces renseignements serviraient à planifier un éventuel débarquement.

Puis commencèrent les actes de sabotage et les attentats. Ceux qui étaient pris au cours de ces périlleuses opérations étaient torturés, envoyés dans les camps de concentration, souvent même exécutés sans autre forme de procès. Il fallait une bonne dose de courage pour accepter ces missions mais « Yvon » semblait bien s'en acquitter.

« Vous allez croire que je suis téméraire, padre, et vous aurez raison de le penser car je le suis un peu, mais je veux surtout aider à ma façon à sauver un noble pays que j'aime et faire ma part, si petite soit-elle, pour le débarrasser des nazis.

– J'admire votre bravoure et votre engagement, soyez-en assuré. Si j'avais votre âge, j'en ferais tout autant malgré mon statut de religieux.

– Vous ne seriez pas le seul. Je connais deux ou trois prêtres dans notre mouvement et ils sont aussi actifs que les laïcs. Mais ne vous en faites pas, il n'est pas donné à tout le monde d'être dans la Résistance. Vous avez sûrement votre façon à vous d'aider vos compatriotes.»

Après quelques jours, la douleur se fit moins lancinante. Le caractère rebelle du blessé refaisait peu à peu surface. Dans ses conversations quotidiennes avec le padre, il manifestait de la colère, de la détresse, et se révoltait contre le mauvais sort s'acharnant sur lui. L'aumônier, sachant que le fait de s'en remettre à de saines croyances, à certaines valeurs spirituelles, rendait la souffrance plus supportable chez de nombreux affligés, tenta avec douceur, d'en inculquer quelques notions à ce révolté. Ils eurent des confrontations assez musclées, mais le padre les avait prévues. Sans se laisser démonter, il continua patiemment le travail entrepris lentement mais sûrement.

« Yvon, je comprends tes réactions et je compatis. Mais si tu veux passer au travers, si tu veux retrouver une certaine joie de vivre, le calme et la sérénité, il va te falloir accepter au lieu de toujours contester.

– Comment ça accepter ? J'ai été rebelle toute ma vie ; la situation actuelle est inacceptable pour moi. Jamais je ne consentirai à être un infirme. Moi, un homme d'action, condamné au fauteuil roulant ?

– Toute ta vie, on t'a appris à être le plus fort, le plus performant et à gagner à tout prix. Aujourd'hui, tu te sens physiquement diminué et tu ne l'acceptes pas. La peur est la cause de ta rébellion. Si tu pouvais seulement faire un peu plus confiance à la vie, si tu lâchais prise, tes énergies seraient utilisées à meilleur escient. »

Le padre prêchait dans le désert car le franc-tireur, toujours souffrant, oscillait entre la colère et la dépression. Son état physique et mental inquiétait ses médecins. Les plaies de ses jambes refusaient de guérir. Quand on changeait les pansements, il hurlait de douleur, engueulait le médecin, les infirmières et même le padre. Le religieux, en être de miséricorde plein de compassion, en arrivait à comprendre pourquoi son protégé le rejetait aussi. C'était d'ailleurs sa pire souffrance. Il lui offrait le plus de marques d'amitié possible, une amitié qu'« Yvon » semblait réticent à accepter, mais le padre ne voulait pas abandonner cette âme en détresse. Il refusait d'abdiquer. *Il y a des cas désespérants*, se disait-il, *mais pas de cas désespérés.*

Puis les semaines passèrent. Petit à petit, très lentement, le padre était parvenu tant bien que mal à amadouer « Yvon » un tantinet, à lui faire reconnaître certaines vérités fondamentales. Non sans peine, croyez-moi ! Son protégé se cantonnait plus souvent qu'autrement dans sa colère.

« N'êtes-vous pas en train de me dire que j'ai tort de vouloir débarrasser la France des Boches ? Dois-je trouver normal d'avoir été trahi par de minables collaborateurs ? À vous écouter, je devrais peut-être remercier le ciel d'avoir perdu, pour toujours sans doute, l'usage de mes jambes ?

— As-tu seulement pensé, « Yvon », à toute l'énergie gaspillée à te faire du mauvais sang et à broyer du noir ? Tu as encore une tête, un cœur, une âme. Tu as donc encore la possibilité d'être un homme d'action. Il te suffit, si tu veux arrêter de t'apitoyer sur ton sort, de découvrir de nouvelles façons de te rendre utile. Mais pour ça, il te faudrait avoir l'humilité d'admettre ton incapacité à régler ta situation actuelle par ton propre pouvoir, puis d'accepter cette limite imposée par la vie elle-même. Exprime ta colère, mais c'est en renonçant à ton ressentiment et à ta révolte que tu sauras redonner un sens à ta vie. Je te l'ai dit et je te le répète : là est la solution ! »

Un mois plus tard, l'état du malade se dégrada encore. Condamné à l'inactivité, il avait tout le temps voulu pour réfléchir aux sages paroles du padre, mais il demeurait rétif. Après avoir passé une autre mauvaise nuit à souffrir, il s'écria, en pleurant de rage :

« Comment pourrais-je même penser à m'abandonner ? Dans mon esprit, ça veut dire baisser les bras, refuser le combat, être passif, vivre comme un légume. Ça n'a pas de sens, padre.

— L'abandon, ça ne veut pas dire arrêter de faire des efforts, refuser de prendre sa place dans la vie. Au contraire. L'abandon, fait dans la confiance, c'est un recommencement, mon fils. Le jour où tu te déclareras K.-O., tu pourras enfin t'abreuver à une force supérieure à la tienne. Ce jour-là, tu pourras vivre ton moment présent dans l'harmonie malgré les difficultés.

— Je vous vois venir. Une force supérieure, une puissance plus grande que la mienne, vous voulez me parler de Dieu ? Tout ça, c'est du

langage de curé. Si Dieu existe comme vous le prétendez, pourquoi y a-
t-il autant de misère dans le monde ? Pourquoi permet-Il cette guerre
atroce ? Mes blessures... ?

– Tu as parlé de Dieu, pas moi. Pour moi, la guerre et la misère dans
le monde sont causées par l'égoïsme et la mauvaise gestion des hommes.
Et tes blessures ? Quand tu as décidé d'entrer dans la Résistance, tu
n'étais quand même pas sans connaître les risques sous-jacents. Pourquoi
refuses-tu ta responsabilité face aux conséquences de tes choix ? Pourquoi
blâmer Dieu ? Ceci dit, je ne suis pas ici pour te convertir ou chercher à
te faire embrasser une religion. Chacun a droit à sa conception personnelle de la divinité. Si tu pouvais seulement croire que rien n'arrive
pour rien. »

La nuit qui suivit cette conversation fut très pénible pour « Yvon ».
Les paroles du padre le rejoignaient. Du fond de son désespoir, il en
venait lentement à croire que peut-être... Mais quelle était donc cette
force, cette puissance en laquelle le prêtre croyait aveuglément ? Le
lendemain, il continua de le questionner, de lui demander des détails.

« Padre, comment définiriez-vous votre Dieu ?

– Cette belle énergie à laquelle je m'abreuve, cette force, c'est
l'amour : l'amour de soi, l'amour de son prochain. L'amour donnera un
sens nouveau à ta vie, te permettra de te réaliser pleinement en tant
qu'être humain et d'en aider d'autres à le faire, grâce à cette force pro-
digieuse. Tu es et tu seras toujours capable d'accomplir ton destin, mon
fils.

– Mais comment ? Il m'est impossible de bouger, de marcher.

– Rien n'est perdu. Pour te donner un exemple, je vais te parler d'une
femme admirable. Elle a réalisé bien davantage que tous les prêtres du
diocèse, tous les résistants, et même tous les médecins et toutes les infirmières réunis. Claire est atteinte de sclérose en plaques et alitée depuis
une dizaine d'années. Incapable de voir au bien-être de son mari et de ses
deux enfants, elle était très agressive au début de sa maladie. Elle
n'acceptait pas. Petit à petit, elle a pris conscience que l'amour passait par
l'abandon. Le miracle s'est alors produit. Elle s'est abandonnée aux forces
de la Vie et elle a réussi à accomplir sa mission. Elle a reçu et donné
beaucoup d'amour.

– Mais, sa maladie ?

– Claire est toujours ici, à l'hôpital. Son état empire de jour en jour mais on ne la considère pas comme une personne handicapée ou diminuée pour autant. Au contraire, elle est devenue le phare, la lumière de la maison. En sa présence, les personnes malades, découragées, découvrent la paix intérieure, la sérénité. Ses enfants ne la prennent pas en pitié ; ils ont énormément de respect pour son grand courage. Quel beau message elle leur livre, au lieu d'être un fardeau pour toute sa famille. Quand tu sortiras d'ici, je te la présenterai si tu le désires.

– Je ne désire rien du tout et quand je sortirai d'ici, ce sera sans doute les pieds devant. De toute façon, je n'ai pas envie de jouer les missionnaires. Seule l'action m'intéresse... Je devrais plutôt dire m'«intéressait». Maudite guerre !

– Au lieu de t'en prendre à la guerre, tu pourrais peut-être profiter de cette période d'inactivité pour réfléchir, pour faire le point. Arrête de jouer à la victime, regarde donc dans quelle direction tu pourrais aller. Ne me dis surtout pas qu'il n'y a pas d'avenir pour toi. L'avenir, c'est la capacité qu'a un être humain de laisser des regrets stériles derrière lui. C'est ainsi qu'il en arrive à développer de nouvelles capacités, d'aller de l'avant, vers de nouvelles espérances. »

Sans s'en rendre compte toutefois, le padre avait marqué quelques points. Fiévreux, troublé, démuni, « Yvon » sentait le besoin de s'accrocher à quelque chose. Il n'avait pas encore déposé les armes mais il avait fait du moins un bout de chemin en admettant son impuissance.

* * *

Le lendemain matin, lorsque l'aumônier vint lui porter son petit-déjeuner, « Yvon » le pria de s'asseoir. Il lui parla de sa mauvaise nuit mais le remercia de l'avoir amené à cette réflexion. Il poussa plus loin la confidence.

« Vous vous en doutez bien, padre, « Yvon » n'est pas mon vrai nom. C'est mon nom de code dans le maquis. En réalité, je m'appelle Jacob et je suis Canadien, d'origine française. Je suis venu en France pour y retrouver ma mère naturelle. »

Le padre sursauta en entendant cette révélation.

« Vos parents adoptifs sont-ils Anglais, par hasard ?

– Mon père est né en Angleterre mais il vit à Montréal depuis très longtemps. Il a été naturalisé Canadien. Mais comment savez-vous cela ?

– J'ai rencontré votre grand-mère à Southampton il y a quelques années et, aussi incroyable que cela puisse paraître, elle m'a chargé de vous retrouver. Je ne sais pas si vous croyez au hasard ; moi, je crois en Dieu. Les prières de votre grand-mère y sont certes pour beaucoup dans notre étonnante rencontre. J'ai d'ailleurs un cadeau à vous remettre de sa part. Il est dans ma chambre ; je vous l'apporterai ce midi. »

Comme promis, le padre apporta le colis qu'Ann-Mary lui avait confié. Jacob le contempla longuement avant d'oser le déballer. Il découvrit un petit coffret de bois, usé par les ans, et l'ouvrit immédiatement.

Son contenu vint confirmer la pertinence des propos tenus par le padre au cours de toutes leurs conversations. Il en fut ému et pleura comme jamais encore il n'avait pleuré. Sa vie avait enfin un sens.

Les jours suivants, il réfléchit longuement. Son état se détériorait. Il ne pouvait garder ce cadeau. Il ne savait combien de temps encore il lui restait à vivre ou s'il n'allait pas être capturé par la Gestapo. Ce trésor inestimable ne devait pas tomber dans leurs sales pattes.

Un soir, il remit le coffret au padre.

« Vous aimez les missions impossibles ? J'en ai une à vous confier. Je vous remets ce coffret. Quand la guerre sera finie, vous l'enverrez à mon frère John à Montréal. Il est médecin, vous ne devriez pas avoir de difficulté à le retrouver. Il a dû beaucoup souffrir à cause de moi ; cet héritage lui revient. Prenez bien soin de lui dire que c'est de ma part. »

Le padre reprit le coffret et le replaça dans son placard, là où il y était resté plusieurs années. Décidément, il n'arriverait jamais à s'en départir ! *Il y a une raison à tout*, se disait-il avec philosophie. *Rien n'arrive pour rien.*

* * *

La fin de l'année 1944 fut fort chargée pour John. Le régiment auquel il était attaché contribua de façon décisive à la libération de Caen mais les pertes furent importantes. Non seulement en termes de morts mais également de blessés. Il suivit à la trace les soldats les plus grièvement touchés et les traita avec les moyens du bord. Lorsque les combats cessèrent, la situation devint plus calme. En mars 1945, le conflit tirait à sa fin mais il y avait encore de violentes escarmouches. On lui demanda de se rendre à Rouen pour prêter main-forte au personnel médical débordé.

L'hôpital regorgeait de militaires fort mal en point et les médecins présents ne suffisaient plus à la tâche pour tous les soigner. John y fit la connaissance d'une infirmière française du nom de Jourdain. Quand elle apprit qu'il était Canadien, elle se rappela du maquisard dont elle s'était occupée. John fut abasourdi en entendant le nom de ce Jacob venu en France rechercher sa mère naturelle. Il n'y avait aucun doute ; il s'agissait bel et bien de son demi-frère.

– Qu'est-il advenu de lui ? demanda John.

– Il est mort ici même à l'hôpital l'année dernière, au mois de juin. Il avait subi de graves blessures aux jambes et les médecins n'ont pu empêcher la gangrène de faire son œuvre.

– Jacob est mort ! » s'exclama-t-il.

L'infirmière trouva bizarre cet attachement à ce compatriote.

« Vous le connaissiez ?

– C'était mon frère. Enfin, mon demi-frère », expliqua-t-il les larmes aux yeux.

– Votre frère ? Quelle histoire incroyable ! L'un vient ici se faire soigner, l'autre vient nous aider comme médecin. Mais j'y pense tout à coup : il faut absolument que vous rencontriez notre aumônier. Il a bien connu votre pauvre frère. »

Mademoiselle Jourdain le quitta si rapidement que John ne put demander davantage d'explications. Quinze minutes plus tard, le médecin et l'aumônier étaient face à face. Le padre le serra dans ses bras comme un fils retrouvé et le pria de le suivre dans son petit bureau.

Il lui fit part de sa rencontre avec Ann-Mary en Angleterre, de ses longues conversations avec Jacob, du cheminement de ce rebelle vers une grande sérénité, et de la mission dont il l'avait chargé avant sa mort. Puis, il lui remit le coffret de la part de Jacob.

* * *

Quelques mois plus tard, John retourna en Angleterre d'où il devait partir pour rentrer au Canada. Il rendit une dernière visite à Ann-Mary et lui raconta cette aventure rocambolesque.

«John, si tu avais foi en une puissance supérieure comme j'y crois maintenant, tu ne trouverais pas cette aventure si invraisemblable que cela. Le hasard, c'est l'anonymat de Dieu. Si tu savais à quel point j'ai prié pendant toutes ces années pour que le padre retrace Jacob! Je souhaitais que ce coffret demeure dans notre famille. Il se retrouve maintenant entre tes mains. Dieu est réellement Tout-Puissant. Ma mission sur cette terre est accomplie. Je puis maintenant mourir en paix.»

Sur le bateau le ramenant à Montréal, John, le cœur palpitant, avait ouvert le fameux coffret pour la première fois. Ce qu'il y découvrit allait changer sa vie. En son for intérieur, il prit la décision de le transmettre à l'un de ses enfants quand la situation l'exigerait.

* * *

Plus de quarante ans plus tard, le coffret allait à nouveau changer de mains. Dans son grenier de Westmount, John le replaça dans la vieille malle, éteignit la lumière et redescendit se coucher. Le lendemain, sa fille lui rendrait visite et deviendrait la nouvelle dépositaire d'un trésor dont le périple avait été si mouvementé.

Chapitre 3

L'INQUIÉTUDE

MONTRÉAL, JANVIER 1998

La petite Justine se réveilla vers 7 heures. Se sentant perdue dans un environnement peu familier, elle appela sa mère. Son petit cri réveilla Marie-Anne. Elle se tourna vers elle et, avec un grand sourire, lui demanda : « Tu as bien dormi, ma chérie ? » Justine reconnut la figure familière de sa grand-mère. Elle se rapprocha d'elle et se sentit en sécurité. Toutes deux s'amusèrent dans le lit pendant un bon moment, s'embrassant et se chatouillant allègrement. Même Ronron participa aux jeux. En moins de temps qu'il ne faut pour le dire, la petite fut soudain terriblement affamée. Son besoin de manger était devenu incontrôlable. Marie-Anne comprit qu'il était temps de se lever. Elle fit son lit, lava et habilla Justine, puis l'emmena à la cuisine.

Elle lui prépara une tranche de pain grillée et la beurra d'une confiture de fraises maison et lui servit un verre de lait. La petite la dévora avec appétit et en réclama une deuxième. Marie-Anne lui en fit une autre avec plaisir. « *Mange, ma petite* », songea-t-elle, « *profite de ces bons moments passés avec moi. Qui sait ce que l'avenir te réserve !* »

À l'extérieur, le soleil faisait scintiller les cristaux de neige. Les branches d'arbres, enrobées de tuniques de glace, brillaient de mille feux. C'était féerique. Le petit-déjeuner terminé, Marie-Anne offrit à Justine d'aller jouer dehors avec elle. Elle ferait ainsi d'une pierre deux coups. Elle offrirait à sa petite-fille adorée un moment de gaîté et de joie dont elle devait avoir grandement besoin. Pas facile pour une enfant de vivre avec un père toxicomane et une mère dépressive. Elle craignait pour l'équilibre psychologique de cette enfant si chère à son cœur. « *Tout se joue avant six ans* », se disait-elle. Son deuxième but était de laisser la chance à Barbara de faire la grasse matinée. Cette dernière avait l'air tellement tendue, angoissée. Elle était sur le point de craquer. Dans cet état, elle ne tiendrait plus le coup bien longtemps. Elle menait une vie d'enfer!

«On y va grand-maman, on y va!», s'exclama Justine. «Ronron peut venir avec nous?»

Permission accordée. Comme il faisait froid, elle habilla chaudement la petite. Cela demandait de la patience. Il lui fallait enfiler le chandail, l'habit de neige, le bonnet, l'écharpe de laine, les moufles et les bottes fourrées de mouton. Puis, après s'être vêtue elle-même, les trois s'engouffrèrent dans la lumière éclatante du jour. C'était une journée splendide. Jamais la chatte n'avait ronronné autant.

* * *

Le claquement sec de la porte se refermant réveilla Barbara. Quelque peu confuse, elle se demanda pendant un moment où elle était. Puis elle se rappela la soirée de la veille. Comme elle ne voulait pas laisser sa mère trop longtemps seule avec sa Justine si accaparante, elle se leva et enfila la robe de chambre déposée au pied de son lit. Elle se rendit à la cuisine et se versa une tasse de café encore bouillant. Elle le sirota tranquillement, perdue dans ses pensées. Devait-elle appeler Bob?

Elle jeta un coup d'œil par la fenêtre et vit sa fille s'amusant à glisser sur une butte de neige recouverte d'une épaisse couche de glace. Marie-Anne la surveillait et semblait bien s'amuser elle aussi. Tout allait fort bien pour le moment.

Nerveusement, Barbara s'empara du téléphone et composa le numéro à la maison. Dès la deuxième sonnerie, Bob répondit.

«Bonjour, Bob», se contenta-t-elle de dire.

– Bonjour», répliqua Robert d'un ton coupable. «Où es-tu?

– Je suis chez ma mère, où veux-tu que je sois?

– Écoute, Barbara, je suis désolé pour hier soir. Je m'en excuse.

– Tu t'excuses! Tu t'excuses! C'est bien beau de dire cela mais ce n'est pas la première fois que ça arrive. J'en ai assez! Ça ne peut pas continuer.

– Tu as raison. J'ai réfléchi et j'ai décidé de disparaître quelques jours. Tu pourras ainsi revenir en toute tranquillité à la maison avec Justine. Je te donnerai de mes nouvelles plus tard. Je suis vraiment désolé, Barbara. Je t'aime. »

Il avait prononcé cette dernière phrase sur un ton si désespéré, mais Barbara, encore habitée par la rancœur, raccrocha sans même dire au revoir à son mari. Au même moment, Marie-Anne et Justine rentraient. Elle attrapa sa fille, l'embrassa et commença à la dévêtir.

«Avec qui parlais-tu?» demanda Marie-Anne, connaissant la réponse d'avance.

– Avec Bob.

– Papa!» s'exclama Justine.

– Oui, avec papa, ma chérie.» Et elle ajouta : «Je t'en reparlerai plus tard, maman. »

Barbara amena sa fille au salon et alluma le téléviseur. Elle trouva une chaîne qui diffusait des dessins animés et installa confortablement Justine dans un fauteuil en cuir. Elle y resterait un bon moment sans requérir trop d'attention.

Marie-Anne et Barbara pouvaient donc causer calmement. Barbara raconta sa conversation avec son mari et décida de rentrer chez elle au début de l'après-midi.

«Je serai mieux chez moi pour réfléchir. Je dois absolument prendre une décision au plus vite car la situation ne cesse de s'envenimer. Je suis à bout de nerfs.

Ta décision sera la bonne, ma fille, j'en suis certaine. »

* * *

De nouveau seule, Marie-Anne disposait maintenant de tout un long après-midi avant d'aller chez son père, elle décida donc de lui faire une surprise en lui préparant un bon repas. Il n'y aurait qu'à réchauffer le tout. Elle n'avait cependant pas envie de faire des courses. Il faisait trop froid. Qu'importe! En bonne cuisinière, elle pourrait apprêter des mets en concoctant avec les restes du frigo. Aussitôt dit, aussitôt fait. Quelques légumes frais, des tomates séchées au soleil, des fines herbes, des morceaux de rôti de veau hachés, des tomates en boîte, et le tour était joué! Voilà une délicate sauce pour accompagner de bonnes pâtes fraîches. Mais il manquait quelque chose... Un peu de vin rouge pourrait sûrement relever cette sauce peut-être un peu fade. Mais ouvrir toute une bouteille pour ça? « Pourquoi pas », se dit-elle. « J'emporterai la bouteille ce soir et nous la finirons en mangeant, papa et moi. »

Marie-Anne hésitait à prendre sa voiture à cause des rues recouvertes de glace, aussi fit-elle venir un taxi. Le chauffeur conduisait prudemment malgré la circulation pourtant fluide. Chemin faisant, Marie-Anne observait les équipes d'émondeurs à l'œuvre ici et là, se demandant bien de quoi auraient l'air tous ces arbres étêtés, privés de leurs principales branches le printemps venu. Elle remarqua aussi, à plusieurs endroits, des gens en train de déglacer leur toiture. Devrait-elle faire la même chose à sa résidence?

Le taxi arriva enfin sur *The Boulevard*, cette artère chic de Westmount, où son père vivait depuis plus de trente ans. Il était plutôt difficile de conduire sur cette chaussée glissante et dans cette côte abrupte. Marie-Anne apprécia le calme et la patience du conducteur dans ces conditions inhabituelles. Il stationna dans l'entrée en U de la résidence et poussa un soupir de soulagement. Elle régla la course et lui donna un généreux pourboire.

Alourdie par ses deux sacs de nourriture, elle grimpa les quelques marches qui menaient à l'entrée principale de ce véritable château. Elle y avait connu une enfance si heureuse! Curieusement son cœur battait la chamade. Il y avait un je-ne-sais-quoi dans le ton de John la veille qui lui avait mystérieusement mis la puce à l'oreille; cette soirée ne serait pas comme les autres.

Elle prit soin de déposer ses sacs et de sonner pour avertir son père de son arrivée, puis elle fit tourner sa clé dans la serrure. John vint à sa rencontre et elle ne put s'empêcher de remarquer combien son pas était encore alerte malgré son grand âge. Il l'aida à enlever son lourd manteau de fourrure et l'accrocha au vestiaire. Puis, il remarqua les deux sacs posés par terre..

« Tu viens t'installer pour la semaine ? » dit-il d'un ton taquin. « Ça serait parfait car je trouve que tu ne viens pas assez souvent. Oh pardon ! Tu es à peine arrivée et je te reçois avec un reproche... Je suis content de te voir.

– Moi aussi je suis heureuse de te voir. Tu as raison, je devrais venir plus souvent. L'envie ne manque pourtant pas. Mais il y a toujours quelque chose... Excuse-moi mais je dois porter ces sacs à la cuisine. »

Tout en parlant, Barbara s'y rendit et mit les plats préparés au réfrigérateur. John l'avait suivie.

« Tu n'aurais pas dû. Tu sais, je ne suis pas si vieux ; je suis encore capable de faire la cuisine. J'avais acheté un de ces bons petits pâtés... et des pâtisseries.

– Ce sera parfait comme entrée et pour le dessert. Regarde, j'ai également emporté une bonne bouteille de vin.

– Il y en avait ici, tu sais. Allons, voilà que je grogne encore. Viens plutôt au salon prendre un apéritif pour te réchauffer et t'ouvrir l'appétit. »

Connaissant ses goûts, John versa deux verres de scotch et lui en offrit un.

« Tu veux un glaçon ? » demanda-t-il.

– Non merci. J'ai vu assez de glace depuis quelques jours. Ça va très bien comme ça. Mais, dis-moi, je ne t'ai pas empêché de dormir, j'espère, avec toutes mes histoires hier soir ?

– Pas du tout. J'ai même très bien dormi. Tout ça m'a permis de ressasser des tas de souvenirs en pensant à ta fille et à toi. Comment va notre Barbara ?

– Elle semblait aller un peu mieux ce matin. Elle est retournée chez elle avec Justine. Robert est parti pour quelques jours. J'espère seulement ne jamais le revoir.

– Pourquoi dis-tu ça ? C'est quand même son mari.

– Tu sais fort bien que je n'ai jamais été d'accord avec leur mariage. Ce n'était pas un homme pour elle. Il l'a prouvé bien des fois depuis. Mais...

– Mais tu n'y peux rien, ma chérie. Après tout, c'est sa vie à elle.

– Je le sais bien et c'est cela qui me trouble le plus. Je suis tout de même sa mère et je ne suis pas indifférente à son triste sort. Je devrais pouvoir faire quelque chose pour elle, il me semble.

– Tu peux faire beaucoup et je suis persuadé que tu fais déjà beaucoup. Elle a décidé de se réfugier chez toi hier. Tu l'as calmée, tu l'as écoutée, tu l'as accueillie dans sa peine et dans sa détresse, tu l'as réconfortée. Tu ne trouves pas que c'est assez ?

– Mais je voudrais faire beaucoup plus. Je voudrais l'aider à se débarrasser de Robert, à recommencer sa vie comme s'il n'avait jamais existé. Je voudrais que les choses reviennent comme avant, quand tous les espoirs étaient permis. Je pourrais peut-être la convaincre, renverser la vapeur, remettre de l'ordre dans sa vie. Je me sens responsable du bonheur de ma fille. Oui, je veux la voir heureuse. Ne me dis surtout pas de me mêler de mes affaires.

– Ce serait inutile que je te le dise, car la vie va s'en charger», enchaîna John avec tendresse. Je te félicite d'être une mère responsable, de te sentir concernée par les déboires de ta fille. Tu dois admettre et accepter cependant les limites de ton rôle. Nous voudrions tous que nos enfants soient en santé, riches et heureux, c'est tout à fait légitime mais la vie en décide parfois autrement. Tout comme nous ils ont à vivre des échecs, des peines, des séparations, des deuils. Devrions-nous brimer leur liberté, les enfermer pour leur éviter les inévitables drames de la vie ? Ce serait sécurisant pour nous, mais ô combien égoïste, tu ne crois pas ? As-tu déjà observé une mère oiseau poussant ses petits en dehors du nid pour leur apprendre à voler ? Je sais... c'est difficile, mais c'est notre devoir de les laisser vivre leurs expériences. Leurs choix ne sont pas nécessairement les nôtres. Il faut respecter cela également. Je ne prône pas l'indifférence mais plutôt une forme de détachement émotif. Il ne faut pas perdre de vue une chose : une personne qui a un problème, « est » le problème et, cela va de soi, elle fait ainsi partie de la solution. En d'autres mots, il s'agit d'avoir de l'empathie, de la compassion pour eux, de les écouter, de les seconder à s'aider mais sans leur imposer nos choix ou qu'ils soient toujours à notre remorque. Autrement dit, ne pas faire d'ingérence dans leur vie privée mais être présent. Parfois, j'ai l'impression de ne pas l'avoir été assez pour toi et je le regrette.

– Tu as été un bon père, ne t'inquiète surtout pas. Tu vois, encore aujourd'hui tu es là alors que j'ai désespérément besoin de toi.

– Je vais tenter de t'épauler, de te mettre sur la bonne voie. En ce qui concerne ta fille, laisse-la donc voler de ses propres ailes et... »

John s'arrêta brusquement et détourna les yeux. Il voulait ajouter quelque chose mais Marie-Anne était-elle prête à l'entendre ? Il n'aurait pu l'affirmer avec certitude. Il se leva, s'approcha du cabinet à boissons et se versa un autre scotch. Marie-Anne remarqua son malaise. Elle l'incita à finir sa phrase.

« Et quoi ? » demanda-t-elle intriguée.

– Rien... », répondit-il, hésitant.

– Oh que si, papa, tu as quelque chose derrière la tête. Qu'est-ce que tu voulais dire ?

– Je voulais dire..., je voulais te dire : demande à Dieu de t'aider. C'est la meilleure ressource vers laquelle tu puisses te tourner.

– Dieu ? mais qu'est-ce qui te prend de me parler de Dieu ! Ça n'a rien à voir. Je ne pratique plus depuis longtemps car je n'ai jamais pu faire confiance à ce Dieu vengeur qui menaçait de nous faire brûler en enfer. « Toujours, jamais », pour l'éternité. J'ai vu des curés vivre dans de luxueux presbytères avec leurs bonnes, s'il vous plaît, incapables de lever le petit doigt pour aider leurs pauvres paroissiens. Et ils osaient nous dire de faire la charité. Bel exemple... Je t'en prie, tu tombes bien mal si tu veux me faire la morale. Ce n'est pas le moment, il me semble.

– J'avais un peu prévu ta réaction. Comme beaucoup de gens de ta génération, tu as tout foutu en l'air. La religion ? Fini ! Connais pas ! Vous avez jeté le bébé avec l'eau du bain. Résultat ? Plus de spiritualité. Et on s'étonne du manque d'idéal des jeunes d'aujourd'hui. Toutefois, l'âme humaine éprouve des besoins aussi même si on tend de plus en plus à les ignorer. La religion ne les a peut-être pas comblés chez toi, mais pourquoi refuses-tu de vivre ta spiritualité ? Tu y trouverais certainement une réponse, ma fille.

– Papa, tu sais que je ne suis pas d'accord avec les enseignements de l'Église.

– Tu as droit à tes choix, Marie-Anne. Selon ma conception de Dieu, tu sembles oublier qu'Il a toujours laissé l'être humain libre de faire ses propres choix. Jamais Il ne nous a imposé quoi que ce soit et nous ne sommes pas non plus ses marionnettes. La violence, comme tu dis, est-elle l'œuvre de Dieu ou a-t-elle été mise en œuvre par les hommes ? Dieu nous a beaucoup aimés en nous laissant le libre arbitre. Ceci dit, je ne cherche pas à te convaincre de croire aux enseignements de l'Église s'ils ne te conviennent pas, mais je suis persuadé que tu es d'accord avec le message de Jésus. Il n'est pas venu nous donner un cours compliqué en théologie. Il est tout simplement venu nous dire : "Aimez-vous les uns les autres". Qui d'autre, dans l'histoire de l'humanité, est venu nous apporter un si beau message ? Pourquoi en parle-t-on encore après deux mille ans, à ton avis ?

« Jésus est-Il un Dieu ou un homme ? À toi de décider. Mais si tu t'inspires de Sa parole, tu vivras dans la joie et dans l'amour, ma chérie. Je le sais bien, jamais je ne t'ai parlé de tout ceci car tout semblait aller bien pour toi, et je m'en réjouissais d'ailleurs ; mais à te voir patauger aujourd'hui dans le doute, l'angoisse, le malheur, je me sens le devoir et l'obligation de te dire que de croire en la pensée de Jésus m'a énormément aidé, moi, au cours de toute mon existence. Ce n'est pas sans raison que je peux affirmer à mon âge avoir été heureux presque toute ma vie durant. Qu'est-ce qui a fait ma force, mon bonheur, crois-tu ? C'est cet amour que j'ai nourri et adopté dans ma vie, modelé d'après la pensée de Jésus. Je ne te parle pas d'un amour charnel et égoïste, mais d'un amour inconditionnel. Tu m'as parlé de ta crainte d'un Dieu vengeur. Pourquoi ne changes-tu pas cette conception pour t'en forger une toute nouvelle plus humaine ? Moi, j'ai choisi de vivre dans la confiance, de croire en un Dieu d'Amour qui peut me soulager, me venir en aide. Fais comme moi, demande-lui son assistance. C'est la seule façon de t'en sortir. »

Épuisé par son long monologue, John se tut et ferma les yeux. De son côté, Marie-Anne était pensive, troublée, et laissait échapper quelques larmes. Jamais son père ne lui avait parlé de la sorte.

John se demanda si elle ne prenait pas conscience soudain de la grande sensation de vide qui l'habitait. Il avait raison. Saisie par ce discours inattendu, Marie-Anne semblait secouée. Cette femme volontaire, ambitieuse, avait toujours mené ses projets à bon port, mais elle s'était toutefois toujours heurtée à un mur par rapport aux malheurs de sa fille et cette souffrance la rendait réceptive aux paroles de son père. La force de l'amour... Oui, il y avait tout de même une belle réponse là-dedans. Elle n'était donc pas si impuissante car elle pouvait aimer Barbara, l'accompagner. Marie-Anne venait de lâcher prise, de comprendre finalement qu'elle ne pouvait vivre la vie de sa fille, prendre ses décisions à sa place ; bref, elle devait la respecter, lui laisser choisir son destin. « Le véritable amour libère », lui avait dit son père. Oui, la réponse était là.

La sentant beaucoup plus calme, John vint s'asseoir à ses côtés. Il la serra tendrement dans ses bras puis il se leva en la prenant par la main.

« Viens avec moi maintenant. J'ai une surprise pour toi. »

Elle le suivit. Il grimpa au grenier, en ouvrit la trappe et alluma la lumière. Marie-Anne reconnut l'endroit où elle allait jouer durant son enfance. Les trésors qu'il recelait étaient autant de découvertes fascinantes pour elle.

Elle jeta un coup d'œil à la ronde. Curieuse, elle vit son père ouvrir une malle et en retirer un vieux coffret en bois. Il le lui tendit avec une vive émotion.

« C'est pour toi ! Ce coffret était destiné à ton oncle Jacob, mort en France pendant la guerre. Un prêtre me l'a remis plus tard à l'hôpital de Rouen. C'est un trésor précieux. Il te sera utile, voire même indispensable. Un jour, tu le transmettras à ton tour à Barbara. Ouvre-le pendant que je fais réchauffer notre repas.

– Tu n'as qu'à mettre le plat au four à 180° C pendant 45 minutes, et ça devrait être prêt. » John descendit sans bruit. Marie-Anne s'installa avec cet étrange objet sur ses genoux. Le coffret n'avait pourtant pas une allure tellement grandiose, mais il venait de loin et son père l'avait assurée que son contenu changerait sa vie.

* * *

Quand Marie-Anne descendit, ses yeux brillaient. Sa démarche crispée, volontaire était devenue souple et détendue. Elle se jeta dans les bras de son père en pleurant et le remercia en son nom, au nom de sa fille et de sa petite-fille. Elle ne cessait de lui dire combien elle appréciait son geste. Quelle belle marque d'amour, de confiance ! Ému, et pour tenter de dissimuler quelque peu la profonde émotion qui l'habitait aussi, il lui dit à la blague :

« Si je ne t'interromps pas, les pâtes seront trop cuites. Passons à table, si tu le veux bien. »

Ils parlèrent peu durant le repas. Un grand calme avait envahi Marie-Anne. De son côté, John était touché mais peut-être aussi un peu nostalgique de voir le coffret quitter la maison, aussi ne disait-il rien. Il ne regrettait pas son geste. Une sorte de pudeur naturelle les empêchait de parler de l'expérience presque mystique vécue par Marie-Anne. Elle avait besoin de prendre du recul, de décanter ses réflexions. John respectait son silence, mais il était content d'avoir pris des mesures au bon moment.

* * *

Sur le chemin du retour, elle eut la frousse de sa vie lorsque le chauffeur de taxi fit quelques embardées. Il conduisait de façon un peu trop agressive malgré la chaussée glissante et elle crut bon de le rappeler gentiment à l'ordre :

« Vous savez, monsieur, je ne suis pas si pressée. Vous pouvez prendre tout votre temps. »

C'est tout comme si ses paroles tombaient dans l'oreille d'un sourd. Il continuait toujours de conduire aussi vite et, à deux pâtés de maison de chez elle, la voiture dérapa et fit un tour complet sur elle-même. Heureusement, le chauffard put en reprendre le contrôle. Marie-Anne terrifiée eut malgré tout la présence d'esprit de noter son numéro matricule avec la ferme intention de dénoncer sa conduite dangereuse à ses supérieurs.

Quand elle fut enfin chez, elle lui remit exactement le montant indiqué au taximètre. Pas question de donner un pourboire à un chauffeur aussi imprudent. Il ne serait pas dit qu'elle encourageait l'irresponsabilité.

Marie-Anne entra chez elle, enleva ses bottes puis son manteau et déposa ses sacs sur la table de la cuisine. Elle en sortit aussitôt le coffret et alla le ranger avec grand soin dans le tiroir inférieur de la commode de sa chambre.

Elle s'installa au salon mais n'alluma pas le téléviseur. Elle ferma les yeux. Les images se bousculaient dans sa tête. Elle revit Justine jouant dans la neige, Barbara si désespérée la veille, son père au grenier avec elle. Puis elle essaya d'imaginer à quoi ressemblait son arrière-grand-mère Ann-Mary, cette vieille dame exceptionnelle dont tout le monde parlait avec tant d'admiration. On racontait les histoires les plus extraordinaires à son sujet, dans lesquelles se manifestaient ses qualités peu communes de mécène, de bénévole. Après la Grande Guerre puis durant la dépression des années 20, cette sainte femme avait distribué sur le perron de sa luxueuse demeure de la soupe chaude aux nombreuses personnes qui crevaient de faim. Elle avait demandé en vain aux autres riches propriétaires de son quartier huppé d'en faire autant, mais ils avaient ignoré sa requête. Elle fit alors le tour des secteurs pauvres de la ville pour distribuer du pain et des galettes aux indigents. C'était tout un spectacle de voir cette vieille dame vociférer des injures au volant de sa splendide Bentley aux gens qui lui déconseillaient de se rendre dans ces endroits mal famés.

Les gens n'étaient pas décontenancés sans raison, car Ann-Mary avait acquis la réputation de s'enticher des voitures de luxe et de la voir se promener dans des quartiers faméliques était pour le moins spectaculaire. Par ailleurs, n'était-ce pas son ami de longue date, W.O. Bentley lui-même, qui lui avait recommandé le modèle décapotable à cause de son élégance et de sa performance. Ce véhicule incroyable, avec ses quatre vitesses, pouvait rouler à 160 km/heure, du jamais vu jusqu'ici. Ann-Mary fut davantage séduite quant à elle par tout ce chrome sur les longues ailes de la voiture et les sièges recouverts de cuir rouge. Elle eut le coup de foudre et l'acheta sur-le-champ. Voilà qui allait impressionner ses amies.

À bien y penser, tout ceci était-il bien réel? Marie-Anne n'avait aucune raison d'en douter. Du fond de son cœur, elle remercia cette aïeule grâce à laquelle le coffret lui était parvenu mais elle n'était cependant pas sans se poser une question : par quel étrange concours de circonstances, Ann-Mary était-elle devenue récipiendaire du coffret?

Chapitre 4

ÊTRE OU PARAÎTRE ?

ANGLETERRE, 1909-1912

Au cours de l'été 1909, l'attention d'Ann-Mary fut attirée par la manchette d'un important quotidien britannique. On y décrivait avec force détails la mise en chantier, à Belfast, du plus grand, du plus luxueux paquebot né de l'imagination de l'homme. Avec ses 270 mètres de longueur, le navire allait surpasser en gigantisme tout ce que les compagnies maritimes avaient réalisé jusque-là. La *White Star Line* voulait ainsi se hisser à coup sûr au premier rang des transporteurs transatlantiques et devancer enfin les sociétés allemandes, surtout son éternelle rivale, la *Cunard*. Profitant des derniers progrès technologiques de ce début de siècle, le bateau allait être non seulement le plus imposant mais également le plus sécuritaire jamais construit. Ce prince des eaux porterait un nom à la hauteur des attentes formulées : le *Titanic*.

En même temps qu'elle lisait cet article tout en admirant les dessins représentant le magnifique navire, Ann-Mary se vit parée de ses plus beaux atours en train d'assister au baptême du *Titanic*. Le gratin de la société serait là et une femme de sa classe se devait d'y être vue. Elle découpa avec soin la page du journal et l'exposa bien en vue sur un des murs de son cabinet de travail. Elle fit de même pour tous les autres articles faisant état de la progression des travaux au cours des mois suivants. Parfois, il lui arrivait de s'arrêter et de rêver devant le mur où se trouvaient les coupures de journaux. Dans sa tête de femme choyée et superficielle, elle vivait pour impressionner la galerie et il était extrêmement important pour elle de bien paraître. Elle se voyait déjà, en somptueuse robe du soir, descendant le grand escalier au pied duquel le commandant l'attendrait car elle serait évidemment invitée à sa table. Les autres passagers, impressionnés par ses ruisselants bijoux, la regarderaient avec respect en chuchotant : « Croyez-vous que ce soit une aristocrate ? une duchesse ? une comtesse peut-être ? »

Le *Titanic* fut mis à l'eau le 31 mai 1911. Son entrée en service était prévue pour le mois d'avril de l'année suivante. On annonça également une autre innovation : son port d'attache serait Southampton. Ann Mary décida le jour même de faire partie du voyage inaugural. Le lendemain, la sexagénaire se rendit donc d'un pas décidé aux bureaux de la *White Star* pour y réserver une cabine de première classe. Dès le départ, un problème se posait : les cabines les plus luxueuses avaient été conçues pour deux personnes ou plus seulement. En apprenant cela, Ann-Mary fit une terrible colère. Personne ne lui avait jamais rien refusé ; elle avait les moyens de payer. S'il fallait changer les règlements, qu'on les change ! L'employé de guichet, interdit devant la violence de sa réaction, s'excusa et en référa à son patron. La future passagère n'était pas à prendre avec des pincettes, l'avisa-t-il. Arborant un large et onctueux sourire, le patron vint à la rencontre d'une Ann-Mary, impatientée par la lenteur du service, et tambourinant nerveusement des doigts sur le comptoir.

« Il me fait plaisir de vous rencontrer, madame. Vous êtes bien certaine de vouloir voyager seule ? N'y aurait-il pas quelqu'un de votre entourage, une parente ou une amie, prête à vous accompagner ? » Ann-Mary se sentit offusquée par cette demande qu'elle jugea déplacée. D'un ton revêche, elle l'envoya paître.

« Jeune homme, ma vie privée ne vous regarde pas. Mais si vous tenez à le savoir, je vis et voyage seule depuis des années. Je n'ai tout de même pas besoin de chaperon à mon âge. Je suis probablement l'une de vos premières clientes et je tiens à faire partie du voyage inaugural. Trêve de tergiversations ! Dites-moi combien coûte une cabine de première classe, j'ai les moyens de payer !

– C'est justement cela le problème, chère madame. Il n'y a pas de tarif pour une personne seule. Ce n'est pas prévu. Mais je vais voir ce que l'on peut faire. Accompagnez-moi à mon bureau, je vais consulter mes supérieurs. »

Elle le suivit en maugréant. Il l'installa dans un fauteuil confortable et lui offrit gentiment une tasse de thé.

« Non merci, je ne suis pas venue ici pour prendre le thé mais pour acheter un billet de bateau.. Faites vite ; je n'ai pas tout l'après-midi à vous consacrer. »

Exaspéré devant une telle attitude, l'homme sortit.

Ann-Mary remarqua sur une table de coin une brochure technique vantant les mérites du *Titanic*. Elle s'en empara et commença à la feuilleter pour se calmer. Elle n'y apprit rien de bien nouveau mais admira les illustrations, s'imaginant déjà en train de faire étalage de ses élégantes toilettes sur les ponts du navire. Elle y côtoierait, quel bonheur! des hommes politiques, des magnats de la haute finance, des artistes célèbres, des gens de qualité. Bref, tous des êtres à sa hauteur et ces contacts pourraient s'avérer utiles. Quand on veut grimper dans l'échelle sociale, il faut se montrer dans les bons milieux, alors...

Elle revint à la réalité en un sursaut. Quant à la croisière, ces malappris allaient-ils la faire attendre encore longtemps pour son billet? «*De nos jours, les services de transport maritimes ne valent plus rien*», soupira-t-elle.

Finalement, au bout d'une dizaine de minutes, un homme d'une imposante stature pénétra dans la pièce où Ann-Mary froissait nerveusement les pages de son magazine. Il affichait un sourire poli mais déterminé. On avait dû lui parler de l'attitude agressive de sa future passagère. Il mit tout en œuvre pour l'amadouer mais se rendit compte bien vite qu'il aurait plus de chances de dompter une tigresse souffrant d'un mal de dents.

«Bonjour madame», dit-il en prenant place en face d'elle. Je m'excuse de vous avoir fait attendre.

– C'est très désagréable en effet. Laissez tomber les excuses», répondit-elle sur un ton sec. «Dites-moi seulement si vous pouvez régler notre problème. Je devrais dire, votre problème.

– Je vous comprends. madame. Nous en avons discuté en haut lieu et j'ai le plaisir de vous annoncer que nous pourrions vous offrir une cabine à tarif et demi du passage simple habituel. C'est tout un privilège que vous saurez apprécier à sa juste valeur, j'en suis convaincu.»

L'arrangement convenait tout à fait à Ann-Mary mais pas question de le manifester. Elle était chiche même dans les compliments.

« Privilège... privilège... au prix que ça coûte ! Bon, cela me convient. Je peux avoir mon billet maintenant ?

— Bien sûr, madame. Le commis est déjà au courant. Il est en train de remplir les formalités. Je vous ramène au guichet si vous le permettez. Au cas où nous ne nous reverrions pas, je vous souhaite de faire un très beau voyage.

— Cela fait toujours plaisir de rencontrer des gens compétents », conclut-elle sur un ton légèrement sarcastique. Je vous remercie, monsieur. »

Au comptoir, Ann-Mary paya son billet rubis sur l'ongle, puis elle s'empressa de quitter les lieux sans un mot de reconnaissance. Le commis et ses deux supérieurs poussèrent un soupir de soulagement en la voyant s'éloigner.

« Avec de telles snobs à bord, j'aime autant ne pas être du voyage », pensa le commis. Il n'osa le dire mais crut comprendre à l'expression soulagée de ses patrons que ces derniers pensaient exactement la même chose.

* * *

Pendant l'année qui suivit, Ann-Mary se vanta de son grandiose projet de voyage. Les gens de son entourage n'en pouvaient plus de tolérer cette exhibitionniste devenue casse-pieds comme on en voit rarement. Cette égocentrique, inconsciente de leurs réactions, continuait d'en remettre, d'en rajouter. Elle se rendrait à New York pour la première fois de sa vie et irait entendre Enrico Caruso au *Metropolitan Opera House*. Elle dînerait dans les meilleurs restaurants, « dévaliserait » les plus grands magasins, visiterait les galeries d'art à la mode. Et pourtant bien des gens proches d'elle la fuyaient.

Une semaine avant le grand départ, elle organisa une réception pour ses connaissances les plus intimes. On ne saurait parler d'amis. Elle fut plus odieuse que jamais, faisant étalage de son aisance matérielle et d'une préciosité à toute épreuve. Les réactions furent mitigées. Certaines de ses copines encore naïves, l'admirèrent, la trouvèrent fort chanceuse. D'autres, plus habituées aux hypocrisies du milieu, se rendaient bien compte de l'attitude subtilement méprisante affichée à leur égard. Mais dans ce monde huppé, ce genre de choses étant monnaie courante, elles en firent peu de cas. Ann-Mary, croyant épater la galerie, n'avait finalement réussi qu'à provoquer de l'envie. La réunion se termina par des baisers du bout des lèvres, par des « au revoir, très chère », par des embrassades sans fin. Rien de sincère, tout était faux, à la limite du vulgaire. On aurait dit une mauvaise pièce de théâtre.

* * *

Le grand jour arriva enfin. Ann-Mary quitta sa maison de *West End* au milieu de l'avant-midi. Un fiacre vint la prendre. Obligé de charger et d'attacher à l'arrière les trois lourdes malles contenant l'imposante garde-robe qu'Ann-Mary jugeait essentielle pour une dame de son rang, le cocher prit quelques minutes de retard. De condition modeste, il se demandait comment on pouvait emporter autant de vêtements pour une seule semaine. La voyageuse avait tout prévu : robes légères pour les journées chaudes, tenues plus habillées pour les dîners, chapeaux assortis tous plus extravagants les uns que les autres, sacs à main, souliers, vêtements de nuit et quelques pèlerines pour les soirées fraîches. Sans compter les gants, les plumes, les barrettes pour parer sa chevelure et les bijoux dont elle ne saurait se passer. *« Pas la peine d'en avoir si on ne peut les montrer. Je vais en faire des jalouses »*, se disait-elle avec un brin de malice.

Arrivée au port, Ann-Mary eut le souffle coupé en apercevant le géant des mers accosté au quai principal. Les dessins publiés dans les journaux n'avaient pas rendu justice à la beauté et à la grande élégance de ce paquebot dernier cri. Ses quatre imposantes cheminées lui donnaient une allure souveraine. *« Le voilà donc, ce fameux Titanic »*, se dit-elle en l'apercevant.

Très tôt le matin, la foule avait commencé à envahir les quais afin d'être aux premières loges au moment du départ. Des milliers de curieux arpentaient la place, échangeant des remarques d'admiration et d'incrédulité. Malgré la présence d'un solide effectif policier chargé de contrôler les badauds, il était difficile pour ne pas dire impossible, aux fiacres et aux automobiles de s'approcher de la passerelle d'embarquement. Le cocher d'Ann-Mary tenait fermement les brides pour contrôler et guider son cheval énervé tout en hurlant pour demander qu'on lui cède le passage ; ses cris ne réussissaient pas à couvrir le brouhaha de la foule.

Tout au long de ce laborieux parcours, quand elle n'invectivait pas son cocher, Ann-Mary surveillait ses précieuses malles. Parfois, un gamin s'en approchait. Elle lui jetait alors un regard vindicatif et vociférait ; il s'éloignait aussitôt en lui faisant une grimace. Finalement, après avoir traversé la cohue, ils arrivèrent enfin à bon port.

Dès l'arrivée à la passerelle, les porteurs affectés aux bagages prirent en charge les lourdes malles pour les porter directement à la cabine d'Ann-Mary. Méfiante, la vieille dame les suivit en surveillant leurs moindres gestes et en leur faisant ses recommandations : « Ne les égratignez surtout pas ; attention, c'est du cuir fin » et autres commentaires du même genre. Les regards furieux des employés ne l'impressionnaient pas. Elle n'était tout de même pas pour faire confiance au premier venu, à des subalternes. Mais tout fut fait dans les règles de l'art. Ses précieuses possessions à l'abri, Ann-Mary pourrait enfin relaxer.

En pénétrant dans sa cabine elle fut conquise par le charme et le bon goût de la décoration. De style hollandais des plus classiques, la pièce, somme toute assez petite, était dotée de boiseries richement travaillées et de plusieurs luminaires très élégants. Le long du mur, entre la porte d'entrée et celle de la salle de bains, le lit double en fer forgé peint en blanc était recouvert d'un épais édredon de couleur verte et d'un oreiller aux teintes assorties. Quelle guigne ! Elle haïssait le vert. Mais pour un voyage d'une semaine, elle s'en accommoderait. « *Heureusement que je ne suis pas difficile* », soupira-t-elle.

Au centre de la pièce se trouvait une petite table de bois encadrée de deux fauteuils aux sièges de cuir noir. C'était l'endroit rêvé pour y écrire son journal de bord tous les soirs. En face de l'entrée, une délicate commode à six tiroirs jouxtait un minuscule réduit servant de placard. Elle ne put s'empêcher de faire une grimace de déplaisir devant son exiguïté. Comment un paquebot à la fine pointe du luxe pouvait-il traiter ainsi ses prestigieux passagers ?

Ann-Mary ouvrit ses malles et rangea ses robes les plus délicates dans le modeste placard. Il fut vite rempli. Le reste de ses vêtements devrait-il faire le voyage dans les malles ? La moutarde lui monta au nez. Elle s'en plaindrait. Enfin... impossible de tout déballer pour le moment. Devant l'ampleur de la tâche, elle décida de remettre l'opération à plus tard .

* * *

Après s'être rafraîchie, elle quitta donc sa chambre en direction du pont principal d'où elle pourrait assister au départ. Dans le long corridor menant aux ascenseurs, elle entendit une voix d'homme l'appeler par son prénom. En se retournant, elle aperçut un couple de vieilles connaissances dont elle eut du mal, au premier coup d'œil, à se rappeler du nom. Il s'agissait d'un riche industriel à la retraite en compagnie de son épouse. Elle ne les avait pas vus depuis de longues années, sans doute du temps où son mari était encore de ce monde.

Le couple en question était fort élégant. L'homme portait un habit de tweed bien coupé, des gants de cuir brun et une casquette pour se protéger du soleil et du vent du large. Son épouse arborait avec fierté une robe de satin jaune, de longs gants lui couvrant tout l'avant-bras et un chapeau à large bord orné de fleurs, à la toute dernière mode. Monsieur avait fait fortune dans la construction navale tandis que madame se prélassait en voyageant aux quatre coins du monde. Les histoires les plus odieuses circulaient à leur sujet. On chuchotait qu'elle l'avait épousé pour son argent; lui, pour monter dans l'échelle sociale. On racontait qu'il avait des maîtresses; elle, de jeunes amants. Les deux semblaient pourtant s'accommoder de cette double vie très immorale.

« Ann-Mary ! Quelle surprise de vous voir ici ! » lança la dame d'un ton pédant.

– Chère amie, comment allez-vous ? » répliqua Ann-Mary avec autant de snobisme et de désinvolture en s'approchant du couple. Elle tendit la main à l'homme, prête à recevoir ses hommages. Il ne se fit pas prier et, en gentleman, y déposa un baiser.

– Vous aussi avez voulu être du voyage inaugural, à ce que je vois », dit Ann-Mary.

– Oui... et non », renchérit l'homme d'un air dégagé. Nous en profitons pour rendre visite à notre fils à Washington. Il est attaché commercial à l'ambassade de Grande-Bretagne. Nous ne l'avons pas vu depuis trois ans.

– Il sera sûrement content de vous voir. Mais, dites-moi, comment trouvez-vous votre cabine ?

– C'est très bien ! De plus, le personnel est très compétent et, ma foi, fort bien stylé. Et notre suite, avec vue sur la mer, est tout simplement exquise. »

En entendant cette remarque Ann Mary ne put s'empêcher de faire une petite moue de dépit. Sa petite chambre donnant sur les coursives n'avait rien à voir avec les suites de grand luxe. Peut-être aurait-elle dû investir quelques milliers de livres de plus pour être à la hauteur de ces gens ? Elle regrettait de ne pas y avoir pensé plus tôt. Cette constatation lui fit instantanément perdre le plaisir de faire partie de cette croisière dont elle avait tellement rêvé.

La conversation banale entre gens cherchant mutuellement à s'impressionner, se poursuivit dans l'ascenseur jusqu'à ce que les portes s'ouvrent sur le pont supérieur. Les trois y firent quelques pas mais le couple fut bientôt accosté par deux hommes, sans doute d'autres industriels rattachés au domaine maritime. Ann-Mary ne tenant pas à leur être présentée, s'éclipsa pour aller s'installer seule au bout du pont. De ce poste privilégié, elle pourrait admirer Southampton au moment où le navire quitterait le port.

À une centaine de mètres devant elle, Ann-Mary admira un autre navire de fort tonnage mais, néanmoins, beaucoup plus petit que le *Titanic*. Il affichait son nom en immenses lettres blanches sur sa coque : *New York*. Les marins à bord s'occupaient à laver les ponts sous les regards vigilants des officiers. On préparait sans doute un départ prochain.

Le cri strident des sirènes se fit entendre. L'heure était enfin venue de prendre le large. Le moment tant attendu était enfin arrivé pour le millier de passagers et les 885 membres d'équipage. Le *Titanic* vibra lorsque l'on mit les moteurs en marche. Une immense clameur s'éleva des quais où des dizaines de milliers de personnes s'étaient massées. Sur les ponts, on agitait des mouchoirs blancs en direction de cette foule immense. Il y avait beaucoup d'émotion dans l'air. Certains riaient, d'autres pleuraient, plusieurs envoyaient des baisers aux êtres chers laissés sur le quai. Personne n'était venu pour Ann-Mary.

Soudainement, le puissant battement des hélices du *Titanic* provoqua un effet de succion violent ; le *New York* fut aspiré dans sa direction. L'abordage semblait inévitable. Heureusement, le capitaine Smith eut la présence d'esprit d'ordonner l'arrêt d'urgence des machines du *Titanic*. La collision fut évitée de justesse. Quelques centaines de mètres plus loin, un incident semblable se reproduisit lorsque le *Titanic* côtoya le *Teutonic*. L'affaire se termina bien mais les vieux loups de mer n'en hochèrent pas moins la tête. Il y avait là un mauvais présage.

Le nouveau vaisseau amiral de la flotte britannique put enfin sortir du port pour prendre la route de Cherbourg.

* * *

Le voyage se déroulait sans incident. Les moteurs répondaient bien aux attentes; la mer était calme. Le bateau comptant seulement les deux tiers des passagers prévus, le service, impeccable, se faisait avec la plus grande attention. Tout le monde semblait heureux à bord.

Tout le monde sauf, peut-être, Ann-Mary. Elle trouvait à redire sur tout et sur rien. Sa cabine était trop petite, le matelas dur et peu confortable, le roulis se faisait constamment sentir, la nourriture était indigeste.... Non, décidément, le *Titanic* n'était pas à la hauteur des attentes d'une femme du monde comme elle.

Après l'escale à Cherbourg, le navire prit la direction de Queenstown en Irlande où il arriva le lendemain. Deux heures plus tard, par un temps splendide, il entreprit son périple vers New York, l'ultime destination. En longeant la côte sud du pays, les passagers arpentant les ponts purent admirer les petites maisons blanches noyées dans la verdure. Peu à peu, elles disparurent à l'horizon.

Ce soir-là, au dîner, Ann-Mary se joignit à deux couples, l'un français, l'autre britannique. Ils occupaient une table un peu à l'écart dans l'immense salle à dîner de première classe. Les Français, parfaitement bilingues, dirigeaient une maison de haute couture et voulaient profiter de ce voyage pour établir des liens avec certains magasins huppés de New York. Les Anglais, des aristocrates issus d'une vieille famille, semblaient vivre de leurs rentes. L'atmosphère était chaleureuse, détendue. On parlait affaires, bien sûr, mais aussi du bateau, de la température, de la famille et de mille et un autres sujets.

Ann-Mary étudia minutieusement le menu. Elle questionna sans fin le garçon de table sur la composition des plats. Finalement, au grand soulagement de ses compagnons de table qui mouraient de faim, elle passa sa commande : une petite salade en entrée et une pièce d'agneau sauce menthe, accompagnée d'une simple pomme de terre, comme mets principal. À la surprise des autres convives, elle leva le nez sur la table d'hôte offrant cinq services de grande classe. Quand chacun eut indiqué ses choix, le garçon les quitta en direction des cuisines. La conversation reprit de plus belle.

L'aristocrate anglaise interrogea ses nouveaux amis français sur les dernières tendances. Au delà de la simple politesse, elle s'intéressait vraiment à la mode parisienne et regrettait l'absence de créateurs originaux chez les Anglais. Ann-Mary crut y voir une fâcheuse inclinaison à ne jurer que par la France en matière vestimentaire. Elle osa même envoyer une petite flèche sous la forme d'une question plutôt anodine.

« Les Français copient sans cesse les Italiens ne trouvez-vous pas ? »

La Française sursauta devant tant d'arrogance. Elle hésita à répondre mais ne put se retenir.

« Ce sont plutôt les Italiens qui nous imitent, chère madame. Regardez leurs dernières créations. Ce sont des modèles disponibles chez nous depuis deux ou trois ans déjà. Ils ont simplement changé la longueur et la forme du décolleté. Je ne veux pas être chauvine mais je me dois d'être en désaccord avec vous.

— Peut-être avez-vous raison. Moi, je vous dis ce que je constate en feuilletant les magazines et en visitant les boutiques.

— Ah, je comprends », renchérit le Français. « Nous avons effectivement de la difficulté à faire notre marque dans les boutiques londonniennes. Je ne sais trop pourquoi, mais les acheteurs préfèrent les produits italiens. Sans doute une question de marge de profit. Qu'en pensez-vous ? »

Ann-Mary fut désarçonnée. Son vis-à-vis l'entraînait sur le terrain des affaires et elle n'y entendait rien. Ne pouvant briller dans ce genre de conversation, elle ne poussa pas plus loin les commentaires et préféra se taire. Heureusement pour elle, le garçon de table s'amenait avec les entrées.

Elle trouva sa salade bien insipide et regretta, intérieurement, de ne pas avoir commandé le consommé Olga ou les asperges vinaigrettes choisis par ses compagnons de table. Elle n'en laissa rien paraître. Il en fut de même lorsqu'on lui présenta l'agneau, trop cuit à son goût, et la pomme de terre bouillie dans une assiette trop grande. Pendant ce temps, les Français se régalaient d'un délicieux sauté de poulet à la lyonnaise tandis que ses compatriotes attaquaient un savoureux caneton rôti aux pommes. Ann-Mary en était verte de rage. Pour une fois, elle ne pouvait blâmer les autres pour son mauvais choix. Après avoir mâché quelques bouchées du bout des lèvres, elle prétexta une indigestion, « sans doute attribuable au roulis », pour quitter la table et se réfugier sans sa cabine. Galant, le Français offrit gentiment de l'y ramener. Elle refusa d'un ton sec.

Se levant rapidement, elle traversa l'immense salle à dîner d'un pas décidé. En passant près de la table occupée par le capitaine, celui-ci s'étonna de la voir quitter si tôt les lieux.

« Le dîner ne vous plaît pas, madame ? Puis-je faire quelque chose pour vous ? »

Elle n'osa lui crier sa frustration. Mais l'expression de son visage disait tout.

« Non, tout va très bien. Une petite indisposition seulement. Je vais aller m'étendre dans ma cabine. Ça devrait passer.

– N'hésitez pas à appeler le médecin de bord si vous en avez besoin. »

Déjà Ann-Mary s'était éloignée sans répondre, ni le remercier. Le capitaine haussa les épaules. Il était habitué à ce genre de passagère pointilleuse pour laquelle rien n'est jamais assez bien. Il n'en fit pas de cas et reprit la conversation avec ses invités.

En quittant la salle à dîner, elle fut bousculée par un couple pour le moins mal assorti. La jeune fille paraissait hautaine dans sa robe du dernier chic. Par contre, le jeune homme à son bras portait un blouson défraîchi qui aurait convenu à un passager de troisième classe. Elle les regarda s'éloigner et poursuivit son chemin.

* * *

Arrivée à sa cabine, Ann-Mary sortit son journal de bord et s'installa à sa table pour écrire. Elle y alla de quelques considérations désobligeantes concernant les deux Français. Il s'agissait, selon elle, de «parvenus chauvins, incapables de faire la distinction entre une création originale et une copie de mauvais goût». Au sujet de ses compatriotes, elle écrivit : «Ils seraient prêts à toutes les bassesses pour faire reconnaître leur rang et leur notoriété. Ils doivent vivre aux dépens de l'État depuis fort longtemps.»

La calomnie étant son arme favorite pour décrire son entourage, elle notait dans son petit carnet des commentaires tous plus vitrioliques les uns que les autres. Ann-Mary avait un talent inné pour détester tout le monde, s'aliénant même des compagnons potentiellement fidèles et attachants. Personne n'avait de mérite à ses yeux.

Comment aurait-elle réagi si elle avait entendu la conversation entre une jeune femme de chambre d'origine belge travaillant sur le bateau et une autre employée plus âgée qu'elle?

«Jamais je n'ai connu une personne aussi détestable. Ce n'est pas possible. Cette femme critique tout, n'aime jamais rien. Elle est riche d'accord. Mais ça ne lui donne tout de même pas le droit d'écraser ainsi son prochain. Je la déteste!»

Sa compagne plus pondérée l'avait incitée au respect en lui faisant remarquer qu'il n'y a pas de gens méchants. Seulement des gens malheureux.

Cette remarque ne changea en rien l'opinion de la petite bonne. Elle continua d'appeler irrévérencieusement Ann-Mary, «la vieille rombière parvenue».

DEUXIÈME PARTIE
RECHERCHE DE SOLUTIONS

Chapitre 5

LE CHOIX

L e lendemain matin, au réveil, Marie-Anne se sentait dans une forme splendide. Son père avait réellement été bien inspiré de lui confier ce coffret. Elle s'étira paresseusement et prit tout son temps avant de se lever. Elle alluma sa radio et écouta avec plaisir un peu de musique relaxante. Elle s'extirpa enfin de son lit, non sans regret, et enfila une robe de chambre chaude et douillette.

Comme à son habitude, elle alla à sa porte ramasser son journal. Le titre de la manchette portait encore une fois sur la situation désespérée des résidents du « triangle de glace ».

On ne prévoyait toujours pas rétablir l'électricité dans ce secteur avant deux bonnes semaines, peut-être même plus. « *Pauvres gens* », songea-t-elle, en déposant son journal sur la table de la cuisine.

Elle prépara le café et fit réchauffer deux croissants dans le four micro-ondes. Elle s'en régalerait avec une pointe de fromage et de la bonne confiture d'abricots. Elle agença sur la table un joli napperon fleuri, le sucrier, le pot de crème et un verre de jus d'orange. Elle eut même la coquetterie de disposer près d'elle un vase étroit contenant deux roses jaunes fraîches écloses. De toute évidence, Marie-Anne avait décidé de se choyer. Elle but son jus d'un trait, puis se versa un café dont l'arôme embaumait dans toute la pièce. Lorsque les croissants furent prêts, elle les dévora avec appétit.

Marie-Anne se sentait calme, elle avait l'âme en paix. Pour une rare fois dans sa vie, cette hyperactive ne sentait pas le besoin de bouger, de s'éparpiller à tout prix. Elle feuilleta sans grand intérêt les premières pages du journal. Il y était bien sûr question des conséquences de la tempête du siècle. Elle sauta donc rapidement d'une page à l'autre, lisant les principaux titres, s'attardant un peu plus longuement sur les photographies dramatiques des incroyables dégâts causés aux maisons et à Dame Nature, mais pire encore, on y déplorait des morts. Ronron s'approcha d'elle en quête de caresses et Marie-Anne ne put s'empêcher de penser au sort misérable des chiens et des chats abandonnés dans des maisons glaciales.

Même si elle cherchait en vain à trouver dans le journal des éléments positifs à la situation, c'était peine perdue, elle n'y voyait que des drames, des accidents, des vols, rapportés par une presse assoiffée de sensationnalisme. Elle persista quand même et soudain, ce fut comme une révélation. Un article parlait des centaines de bénévoles qui se déplaçaient à tous les jours pour aller aider les plus dépourvus dans les centres d'hébergement. Une belle générosité, quoi ! *« Enfin, des gens font preuve de compassion ; on peut encore parler d'entraide dans notre société trop matérialiste »*, se dit-elle. Elle se réjouissait que le mot « solidarité » fasse souvent son apparition, car elle le savait maintenant, c'était là la clé d'une saine évolution personnelle et sociale.

Elle songea à donner son nom comme bénévole, mais « charité bien ordonnée commence par soi-même », dit-on, sa fille se trouvait dans une mauvaise passe, et elle se devait d'aller vers elle. Elle pourrait lui rendre visite le matin même. Elle décida donc, c'était la moindre des choses, de l'appeler pour annoncer son arrivée.

Le téléphone sonna un bref coup et aussitôt Barbara répondit d'une voix haletante et stressée.

« Allô !

– Bonjour, Barbara. Comment vas-tu ce matin ? Tu me parais bien nerveuse.

– Ah, c'est toi, maman ! Excuse-moi, je pensais que c'était Bob. Il ne m'a pas encore donné de nouvelles.

– Laisse-lui quand même du temps.

– J'aurais au moins aimé savoir où il est, c'est comme si je n'avais réellement plus de contrôle sur rien. Pour le moment, si tu veux, oublions cela , parlons plutôt de toi.

– Jamais je ne me suis sentie aussi bien. Je t'appelais pour savoir si je pouvais passer prendre un café avec toi. Ça te dérangerait ?

– Ce matin ? Oh ! pas du tout », répondit Barbara sur un ton peu convaincant. J'avais décidé de me reposer. Je reprends le boulot dès demain et je me sens plus fatiguée maintenant qu'il y a une semaine. Bob aura réussi à ruiner même mes jours de congé.

– Tu préfères remettre ça à un autre jour ?

– Mais non, mais non. Viens. Ça fera très plaisir à Justine de te voir car je ne suis sûrement pas de très bonne compagnie pour cette pauvre petite.

– J'appelle un taxi et je suis chez toi dans une vingtaine de minutes. À tantôt.

– C'est ça, à tantôt. »

L'accueil un peu froid de Barbara fit baisser d'un cran l'enthousiasme de Marie-Anne. Sa fille avait encore beaucoup de choses à comprendre, un bon bout de chemin à parcourir avant de retrouver la sérénité. Peut-être pourrait-elle l'aider à y voir plus clair ? « *Mais attention !* » se dit-elle. « *Ne recommence pas à jouer au sauveur, à remorquer ta fille. Tu peux l'aider à s'aider, à retrouver sa force, mais pas en la nourrissant de la tienne. Tu lui nuirais en la gardant dans un état de dépendance. Elle doit s'en guérir pour retrouver son autonomie.* »

* * *

Dès que Marie-Anne mit les pieds dans la maison de sa fille, Justine lui sauta au cou avec toute l'énergie de son jeune âge. « Mamie, mamie », lança-t-elle, toute contente de voir apparaître enfin un visage souriant. Elle lui laissa à peine le temps d'enlever ses bottes et son manteau et elle la tira vers sa chambre pour lui montrer ses poupées, ses oursons de peluche et tous ses jouets. Le jeu ne dura pas longtemps. Au bout de cinq minutes tout au plus, la petite avait repris sa place au boudoir pour regarder des dessins animés à la télévision. Marie-Anne s'installa à la cuisine avec sa fille devant une bonne tasse de café au lait. La brillante lumière de cette belle matinée éclairait brutalement le visage ravagé de Barbara.

Leur conversation tourna d'abord autour de Robert.

«Toujours pas de nouvelles de ton mari?» demanda Marie-Anne sans trop s'intéresser à la réponse.

– Non, et je commence vraiment à me demander où il est passé. Il n'a pas l'habitude de disparaître si longtemps sans appeler. Je suis folle d'inquiétude, maman. Combien de temps encore vais-je vivre dans l'attente? Il a fait d'autres folies, j'en suis certaine. Si tu savais toutes les images qui me passent par la tête. Devrais-je appeler la police pour signaler sa disparition?

– Tu dramatises! Il voulait réfléchir, donne-lui un peu de temps. S'il a finalement pris conscience de la gravité de son état, il doit chercher le moyen de s'en sortir. Enfin, j'espère. Peut-être est-il retourné au centre où il a fait sa dernière cure de désintoxication. As-tu vérifié?

– J'ai téléphoné ce matin mais ils ne l'ont pas revu. Ses amis non plus d'ailleurs. A-t-il été assassiné par son fournisseur d'héroïne à cause d'une dette? Je le vois mort et ensanglanté. Son cadavre congelé gît peut-être dans un fossé et on ne le retrouvera qu'au printemps.»

Elle éclata en sanglots. Marie-Anne, l'enlaça tendrement, la berça, sécha ses larmes et lui donna le temps de se calmer. Puis, elle entreprit la tâche difficile de faire admettre à sa fille que son problème venait d'elle et non de Robert. *« Surtout ne pas la culpabiliser, mais la responsabiliser quant aux conséquences de ses choix »*, songeait-elle.

«Barbara, tu gaspilles toutes tes énergies à te poser des questions sur le pauvre sort de ton mari. Profite plutôt de ce moment pour t'interroger sur ce que tu veux faire de ta vie et non de la sienne. Tu as droit au bonheur. Construis-le.

– Mais mon bonheur est justement lié à celui de Bob. Je rêve d'une vie tranquille avec notre petite fille et lui. Ce n'est pas trop demander, il me semble. Je lui en veux tellement de m'avoir encore laissée tomber, de m'avoir menti. Il m'avait promis de se tenir loin de la drogue, mais le pire, c'est que je me hais de l'avoir cru. Je suis tellement naïve ! J'ai failli m'étouffer tellement j'étais occupée à le chouchouter, à le gâter, à essayer de le rendre heureux. Quel échec !

– Comment ça un échec ? Tu n'es pas responsable des choix de Robert. Je te l'ai déjà dit. Par contre, tu vis beaucoup de colère et il y a tant de gens qui souffrent de vivre en éprouvant du ressentiment pour leur conjoint. Tu en veux à Robert et c'est tout à fait normal. Te rends-tu compte à quel point le fait de vivre ainsi t'épuise, te vide. Tu entretiens un stress difficile à gérer, un stress grugeant tes meilleures énergies. Tu finiras par développer une maladie si ça continue ! Je suis persuadée que je ne t'apprends rien, quand le système immunitaire est à plat....

– Sais-tu, maman, je suis infirmière et jamais je n'ai fait le lien entre les dépressions des femmes d'alcooliques ou de toxicomanes et le problème de leur mari. À mon avis, c'est trop facile de tout mettre sur le dos de l'autre. En fait, tu jettes tout le blâme sur Bob.

– Non, ma chérie, j'essaie simplement de t'amener à voir que tu peux reprendre un certain pouvoir sur ta vie. Avoue donc que tu souffres de la situation et Justine aussi. C'est devenu intolérable pour tout le monde. Tu as besoin d'une aide professionnelle pour t'en sortir. Il existe des centres où des spécialistes peuvent t'aider à ventiler cette colère. C'est essentiel pour ta santé mentale. Ce n'est pas facile pour moi de te dire ça, mais je t'aime trop pour te regarder couler à pic sans intervenir.

– Maman, tu n'as pas à me dire quoi faire. Tu parles toujours de respect....

– C'est la raison pour laquelle je te fais aujourd'hui cette suggestion. Je ne t'ordonne rien. Par le passé, j'ai été plus autoritaire et peut-être moins attentionnée. Je le regrette sincèrement et je m'en excuse. Ceci dit, je ne cherche pas à condamner Robert. Je comprends exactement ce que tu vis et ce que tu ressens. Rappelle-toi quand ton père nous a abandonnées. Le ressentiment me rongeait, me dévorait. Tu en as souffert d'ailleurs, mais comment pouvais-je te donner l'amour auquel tu avais droit avec toute cette haine en moi ?

– Je me rappelle vaguement. Je me sentais non seulement orpheline de père, mais de mère aussi. Comment t'en es-tu sortie ?

– Je m'en allais directement vers la dépression et mon médecin a voulu me donner des calmants. J'ai refusé. Je me croyais capable de régler la situation mais mon état empirait. J'ai finalement mis mon orgueil de côté et j'ai consulté. J'ai alors appris une chose : la colère est une émotion saine, normale dans certaines circonstances, mais on doit s'en défaire en l'exprimant. Au cours de cette thérapie, je me rappelle avoir disposé des petits cartons un peu partout dans la maison sur lesquels il était écrit : « Ce qui ne s'exprime pas, s'imprime ». Ça m'a aidée.

– Allons, maman, ça n'est tout de même pas aussi simple.

– On ne peut réprimer continuellement sa colère, Barbara. Tôt ou tard, cette émotion refoulée refait surface et souvent au moment où l'on s'y attend le moins. Quand on est rongé par le ressentiment, l'hostilité s'installe comme mécanisme de survie contre les attaques réelles ou imaginaires. Autrement dit, tu gardes bien sûr un caractère égal, c'est-à-dire toujours en rogne, méfiante, agressive ou sur la défensive. Tu attaques ou tu fuis, au lieu de prendre ta place et de construire le bonheur auquel tu as droit. »

Barbara avait écouté attentivement cette dernière phrase de sa mère. Elle comprenait où elle voulait en venir, mais elle se sentait incapable de prendre la décision de consulter. « C'est Bob le malade, pas moi ! » Et si par malheur elle lui avait dit de quitter son mari, fidèle à son habitude de rationaliser plutôt que de passer à l'action, Barbara aurait rétorqué : « De toute façon, maman, tu n'as jamais aimé Bob. Tu ne comprends rien à sa maladie. Au fond, tu serais contente que nous nous séparions, mais il n'en est pas question ! »

Barbara ne soufflait mot, aussi Marie-Anne comprit-elle le message. À quoi bon en dire davantage. De toute façon, elle avait fait son devoir, elle avait désormais la conscience tranquille. Sa fille possédait tous les éléments en main pour prendre sa décision. Devant l'attitude impatiente de Barbara, elle la pria d'appeler un taxi. Avant de partir, elle alla serrer très fort sa petite-fille dans ses bras. *Barbara va tout de même finir par se réveiller »*, se dit-elle. *Justine est très perturbée, elle se renferme trop sur elle-même. Si on attend, il y aura des séquelles permanentes car son état psychologique actuel n'est pas particulièrement bon. Que c'est dur pour une grand-maman de voir souffrir sa petite-fille! En fait, je me demande si je ne devrais pas consulter un pédiatre, sans que ma fille le sache, pour vérifier si Justine ne fait pas un début de dépression. Non mais… ai-je perdu la tête? Je viens de faire un long discours à ma fille sur l'importance de prendre ses responsabilités dans la vie. Je n'ai pas à faire d'ingérence dans la sienne. »*

Marie-Anne eut beaucoup de peine à dormir ce soir-là. Malgré ses bonnes résolutions, elle éprouvait encore beaucoup de difficulté à lâcher prise et cherchait des solutions au problème de Barbara. Tout à coup, comme un éclair, une idée lui vint soudain. « Le coffret! Si ça l'avait aidée à faire enfin face de façon sereine aux problèmes de la vie, le miracle s'accomplirait peut-être aussi pour sa fille? Le moment était-il venu de lui remettre son héritage? » Mais elle se rappela alors les paroles de son père.

« Tu te demandes sûrement pourquoi j'ai attendu si longtemps avant de te remettre ce coffret. Le moment doit être bien choisi sinon ses effets bénéfiques seront perdus. Tu auras toi aussi à déterminer quand tu devras le transmettre à ta fille. Une seule directive : assure-toi que Barbara soit réceptive. Malheureusement, il faut être dans de sérieux bas-fonds pour que ça marche. À toi de juger. »

Marie-Anne, incapable de juger si le moment était opportun ou non, décida de s'en remettre à Dieu. Puis, elle s'endormit profondément.

* * *

OCÉAN ATLANTIQUE, AVRIL 1912

À 1 h 30 du matin, une Ann-Mary frissonnante de froid prit place dans un canot de sauvetage, à tribord du navire en détresse. Deux heures auparavant, le *Titanic* avait heurté un immense iceberg qui avait considérablement endommagé la coque du navire. Durant l'heure qui suivit, personne à bord ne voulut envisager la possibilité d'un naufrage. On l'avait affirmé à grand renfort de publicité : le *Titanic* était insubmersible. Mais le capitaine Smith constatant l'urgence de la situation, donna l'ordre de regrouper les passagers sur les ponts. Il serait plus sage d'être prêt pour un embarquement immédiat au cas où…. Les premiers canots, remplis à moitié seulement de leur capacité, furent mis à l'eau. Puis, quand le paquebot se mit à tanguer dangereusement à tribord, la panique s'installa; ce fut le sauve-qui-peut général. Avec fermeté, des hommes poussèrent leurs épouses et leurs enfants dans les rares canots disponibles. Aucun bateau ne venait à leur secours, ils étaient donc leurs seules planches de salut. Les dernières étreintes furent déchirantes, pathétiques. Ils ne se reverraient jamais plus.

On descendit bientôt le canot à bord duquel se trouvait Ann-Mary. Elle ne cessait de rouspéter car elle n'avait pas eu le temps de prendre ses bijoux. À ses côtés, tassés les uns contre les autres, une soixantaine de personnes prenaient place, en grande majorité des femmes et des enfants. Cinq membres d'équipage avaient été désignés pour assurer les manœuvres, dont George Rowe, responsable des opérations. S'y trouvait également un monsieur sans âge, grand et mince, à l'allure étrange, prénommé Abraham. « *D'où sort-il cet original ? Il n'était sûrement pas sur le bateau; je l'aurais remarqué* », se dit Ann-Mary. L'apparence un peu débraillée du personnage détonnait avec l'élégance des autres passagers. Il portait une longue barbe blanche de patriarche et une austère pelisse de bure toute usée recouvrait sa redingote démodée. De plus, il serrait sur son cœur une besace de pèlerin à laquelle il semblait tenir beaucoup. Malgré sa pauvreté, il émanait de ce personnage une certaine luminosité pour le moins inexplicable. Son regard brillait d'un feu si saisissant qu'il dégageait incontestablement beaucoup de charisme.

Puis son attention se porta sur les autres passagers dont Joseph Bruce Ismay, président de la *White Star Line*. Il avait profité de son prestige pour intimider les matelots et trouver ainsi une place dans l'une des dernières embarcations. Il contrevenait ainsi à l'une des lois morales de tout désastre maritime voulant que l'on sauve « les femmes et les enfants d'abord ».

Le canot s'éloigna rapidement du navire en détresse. Tous les yeux restaient néanmoins rivés sur celui-ci. Chacun y cherchait soit un père, un mari ou un compagnon, qui allait bientôt disparaître dans un gouffre froid et sans fond.

Ann-Mary semblait n'éprouver aucune compassion pour ces pauvres malheureux. Elle avait la vie sauve; c'était cela l'important pour elle. Elle vit le luxueux paquebot se briser en deux et disparaître sous les flots. Les naufragés hurlaient de désespoir devant l'horreur de cette vision cauchemardesque.

Dans le canot secoué par les vagues, les femmes et les enfants pleuraient à chaudes larmes. Ann-Mary, tout de même un peu ébranlée, tentait de conserver un semblant de dignité. Elle scrutait la mer, espérant apercevoir un navire s'approcher, indifférente au drame vécu par les autres passagers. Elle se montra même d'une outrecuidance insupportable et se mit à enguirlander une femme en pleurs dont le petit garçon de cinq ou six ans ne cessait de s'agiter..

« Madame, pourriez-vous retenir votre fils ? Il risque de faire chavirer le canot à grouiller de la sorte. »

La pauvre femme était à ce point en état de choc qu'elle fut incapable de répondre à cette attaque inattendue. Comment un si jeune enfant pouvait-il provoquer pareil désastre ? Cette vieille folle était-elle en train de perdre l'esprit ?

Abraham se porta au secours de la jeune femme plutôt ébranlée. Enveloppant la mère et l'enfant de son long bras, il s'adressa d'un ton pacifique mais ferme à Ann-Mary.

« Je vous en prie, ne soyez pas si rigide, madame. La situation est difficile pour tout le monde. Si nous voulons nous en tirer, il faudra de l'entraide et de la souplesse. Au lieu de critiquer, de vous fâcher, pourquoi ne faites-vous pas comme nous tous ? Priez pour que Dieu nous vienne en aide. Vous cherchez à vous donner une contenance pour paraître forte mais vous devez assurément mourir de peur, vous aussi.

– Je n'ai jamais peur », répliqua-t-elle d'un ton acerbe. « Tout ça est la faute de cet imbécile de capitaine. Pour ce qui est de prier, je vous laisse ça ; vous semblez vous y connaître en bondieuseries. Je souhaite seulement qu'on nous retrouve le plus tôt possible. Je ne peux absolument pas supporter cette promiscuité.

– Si vous ne voulez pas prier, ça vous regarde », renchérit Abraham, « mais laissez au moins ces gens vivre leur peine et leur peur en paix. Vous n'avez pas le droit de les harceler comme vous le faites. Je vous saurais gré de manifester un peu d'humanité tout de même.

– Qu'ils se tiennent tranquilles et tout ira bien. »

Abraham en demeura bouche bée : l'humaniste ne comprenait rien à cette réaction inappropriée. Cette passagère avait-elle un cœur ? Enfin, ce n'était pas le moment d'argumenter. L'heure était plutôt à la solidarité. Il se tourna vers une autre passagère pour la réconforter. Joseph Bruce Ismay donna raison à Abraham et s'adressa à Ann-Mary.

« Monsieur a raison. Tenez-vous tranquille, madame, et cessez d'invectiver les autres, sinon...

– Vous êtes bien mal placé pour parler vous, espèce de lâche, de poltron. Qui êtes-vous pour me juger ? Vous ne devriez même pas être dans ce canot. Vous avez pris la place d'une pauvre passagère et vous osez me parler sur ce ton ? Je vous méprise !

– Laissez-moi transiger avec ma conscience, madame. En ma qualité de président de la *White Star Line*, j'aurai des comptes à rendre ; c'est pour cette raison que j'ai exigé d'embarquer.

– Vous vouliez sauver votre peau, voilà tout !

– Taisez-vous, vieille chipie, je ne veux plus vous entendre. »

Voyant la situation s'envenimer, Abraham tenta de calmer l'agressive Ann-Mary.

« Madame, vous n'avez pas à juger ce monsieur. Dieu et les hommes s'en chargeront. Votre attitude ne me semble pas très charitable. Après tout, nous vivons des circonstances difficiles. Au lieu de condamner, pourquoi ne pas essayer de comprendre ? Je ne vous désavoue pas mais toutes les personnes éprouvées ici ont besoin de douceur, non de critiques. Mettez vos ressentiments de côté. Portez-leur secours. Vous vous sentirez tellement mieux. Nous avons besoin de la bonne volonté de tout le monde pour passer à travers cette épreuve. »

Ces bonnes paroles furent prononcées en vain. Une seule chose préoccupait Ann-Mary : assurer sa survie. Occupée à surveiller l'horizon où, hélas, nul bateau n'apparaissait, elle ignora les recommandations du vieux sage. Les avaient-elles seulement entendues ?

* * *

MONTRÉAL, 1998

Après le départ de sa mère, Barbara se sentit troublée. Elle devrait réfléchir à leur conversation. Sur l'entrefaite, Justine arriva tout penaude.

« Ma petite chérie, ça ne va pas ?

– Je m'ennuie de mon papa. Quand va-t-il revenir ? Et toi, maman, tu ne ris plus et tu ne t'occupes plus de moi. Je suis toute seule pour jouer. Je voudrais avoir une petite sœur ou un petit frère. »

Barbara l'installa sur ses genoux et lui fit un gros câlin. Justine se blottit contre elle en poussant un gros soupir de soulagement. Puis, elle retourna à ses occupations d'enfant unique, habituée à jouer toute seule.

Sentant à nouveau le désespoir monter en elle, Barbara décida de téléphoner à son amie Manon. C'était une alliée sur laquelle on pouvait compter et elle avait besoin de se confier. Un bref coup de fil suffit pour se fixer rendez-vous dans un restaurant du centre-ville. Barbara choisit leur restaurant préféré, à Robert et elle. Ils y venaient chaque fois qu'ils avaient quelque chose à fêter.

Dès son arrivée au restaurant, elle regretta ce choix. C'était comme si elle remuait le couteau dans la plaie. Elle éprouvait tellement de difficulté à changer d'endroit, de façon de penser et d'agir. Elle préférait le connu à l'inconnu ; c'était plus sécurisant.

Le maître d'hôtel la connaissait bien, aussi avait-il réservé la table qu'elle occupait habituellement avec Robert. Ils aimaient bien tous deux ce petit coin retiré, au fond de la coquette salle à manger, à l'abri des oreilles indiscrètes. Les deux amies pourraient du moins se parler en toute quiétude. Personne ne les entendrait. Quand Manon arriva, avec quelques minutes de retard, Barbara s'étonna de la voir si lumineuse, si rayonnante. De son côté, Manon était tout aussi abasourdie, elle n'en revenait tout simplement pas de voir à quel point : sa copine semblait avoir vieilli de dix ans. Elle se garda bien de passer un commentaire sur la mine ravagée de Barbara.

«Manon, te voilà enfin. Merci d'être venue. J'ai tellement besoin de parler à quelqu'un.

– Quel plaisir de te revoir, ma belle Barbara. Ça fait réellement trop longtemps que nous nous sommes vues. Comment vas-tu ?

– Je dois dire que j'ai connu de meilleurs moments. En fait, je ne sais plus où j'en suis.

– Ça ne va pas ? Ta santé.... ?

– Je vais bien de ce côté et n'ai pas encore de problèmes au travail bien que... Non, le problème, c'est Bob. Jure-moi de ne le dire à personne mais il a de sérieux problèmes de drogue. Il s'est fait soigner mais après deux cures, il a recommencé de plus belle. Depuis les fêtes, c'est infernal. Si ça continue ainsi, il va y laisser sa peau.

– Tu crains un suicide ?

– Le mot est peut-être fort. Bien que... la drogue, c'est une mort lente, un suicide à petit feu au fond. »

Barbara se vida le cœur pendant de longues minutes. Les absences de Bob, les dettes accumulées, la violence verbale, les coups, les pleurs de Justine, sa fatigue, son écœurement, tout y passa. Et maintenant, Bob avait disparu pour réfléchir. Où était-il ? Avec qui ? La jalousie la rongeait même si elle n'osait le dire.

Prise au dépourvu, Manon ne répondait pas. Barbara lui faisait penser à une marmite dont le couvercle était sur le point de sauter. La pression était trop forte ; la colère, l'amour, la rage, le désespoir, l'impuissance, la volonté d'aider, de contrôler, bref toutes ces émotions non vécues, non exprimées étaient littéralement en train de la détruire.

« Barbara, je voudrais bien t'aider. Je suis ton amie mais je vois bien que tu ne sais plus à quel saint te vouer.

– La situation est catastrophique. Je suis désespérée et je ne vois vraiment pas de solution..

– Barbara, jamais je ne t'ai vue dans un état pareil. Tu vas finir par craquer. Tu as réellement besoin d'aide. »

Piquée au vif, l'orgueilleuse Barbara bondit sur sa chaise.

« Tu penses comme ma mère ! Ne me parle surtout pas de thérapie. Je ne veux rien savoir de ces centres où des amateurs et des pseudo- guérisseurs prétendent aider les gens. Plus souvent qu'autrement, ce sont des « Jesus freaks », des paravents pour des sectes, des « cracks » du Nouvel Âge. Je suis capable de régler mes problèmes toute seule. Tu me connais tellement que tu pourrais me faire confiance au moins.

– C'est toi qui n'arrives pas à faire confiance, Barbara. Il existe d'excellents centres où des milliers de gens ont retrouvé leur équilibre grâce aux bons soins de professionnels compétents. Il suffit de se renseigner, de prendre des références.

– Je ne vais quand même pas aller raconter ma vie à des inconnus ! J'en mourrais de honte. Franchement, tu pourrais me proposer autre chose.

– Allons donc ! Je ne te l'avais jamais dit mais je suis déjà passée par là. J'étais complètement à plat, tiraillée par des émotions impossibles à déterminer , ou à contrôler. J'étais remplie de culpabilité, d'humiliation. Comme tu as honte de t'être trompée au sujet de Robert, de n'avoir pu empêcher sa rechute. Grâce à une bonne thérapie et à un excellent suivi, j'ai pu faire la différence entre la honte et la culpabilité. Ces deux sentiments n'ont ni la même origine, ni la même fonction. Accepte de l'aide, inscris-toi dans un bon centre. Tu en sortiras comme neuve, capable d'affronter les défis avec des outils nouveaux. Oui, tu peux repartir à zéro. Si tu ne veux pas le faire pour toi, fais-le au moins pour ta fille. »

Oh non ! c'était du véritable chantage émotif, s'insurgea-t-elle. On jouait sur son amour pour Justine maintenant. Tout de même ! À bout d'arguments, sa copine sortit une carte professionnelle de son sac.

« Je n'en dis pas plus, Barbara. Je te recommande ce centre où je suis allée. J'aimerais t'aider davantage mais tu as une décision à prendre et j'espère pour toi que tu prendras la bonne. Allons, mets ton orgueil de côté. Tu n'es pas la première ni la dernière à avoir perdu la maîtrise de ta vie. N'essaie pas de tout régler par tes propres pouvoirs. Je vais penser à toi. Donne-moi de tes nouvelles. Je te quitte car je dois prendre ma petite Colette à la garderie. Gros bisous à Justine et mes salutations à ta mère. »

Abandonnant son amie à ses pensées, Manon sortit. Barbara, un peu interdite, tournait et retournait la petite carte dans ses mains. Devrait-elle ? Oserait-elle ?

Chapitre 6

L'ATTENTE

OCÉAN ATLANTIQUE, AVRIL 1912

Joseph Bruce Ismay sortit une montre en or suspendue au bout d'une chaîne du gousset de sa veste. Il était presque 4 h 30. La pénible odyssée durait depuis trois heures. Il poussa un long soupir de désespoir. Dans le canot, la panique avait cédé la place au découragement. Peu de passagers gardaient encore espoir d'être sauvés. On avait beau scruter l'horizon, aucun phare de bateau n'apparaissait. Les vingt embarcations mises à l'eau avant le naufrage de l'« insubmersible » *Titanic* dessinaient une étrange chorégraphie, perdues sur cette mer immense et noire. Les vagues menaçantes heurtaient les parois des canots comme le métronome de la mort. On aurait dit le balancier du Jugement dernier.

Épuisés, les naufragés n'avaient même plus la force de crier. C'était bien inutile de toute façon. On pouvait entendre cependant distinctement les pleurs étouffés des femmes et des enfants. Certains priaient, persuadés qu'un miracle était encore possible.

Dans le canot C, Abraham continuait en âme charitable d'aider les plus désespérés. La situation déjà dramatique, empirait constamment. Un quart d'heure auparavant, une dame âgée s'était éteinte dans ses bras en récitant un Ave Maria avec lui; son pauvre cœur n'avait pas tenu le coup. Il lui ferma les yeux en priant pour le repos de son âme. Personne ne put se résigner à faire couler son corps dans la mer. On avait fait glisser son cadavre sous un banc, dans le fond du canot. L'horreur côtoyait le drame. Un adolescent imprudent s'était levé pour changer de place, il fut malencontreusement emporté par une vague soudaine, sous le regard éploré de sa mère. Les marins ne purent le rattraper, aussi disparut-il rapidement dans les flots profonds et redoutés.

Ann-Mary demeurait impassible. Pas un mot, pas une réaction. Elle demeurait apparemment détachée des gens et des drames humains se jouant autour d'elle. Ses forces l'avaient quittée et le découragement se lisait sur son visage blême et tendu. Assise aux côtés de monsieur Ismay, elle ne lui avait pas adressé la parole depuis leur brève altercation. Épuisée, vidée, ses émotions inexpressives, elle ne pouvait ni le haïr, ni lui pardonner. Il était devenu pour elle tout au plus un passager comme les autres, impuissant à l'aider de toute façon.

La tête baissée, les yeux clos, elle revivait intérieurement les moments les plus déterminants de son existence. Son enfance de rêve à *West End*, entourée de parents aimants et attentifs. Son trop bref mariage avec un amiral de la marine britannique disparu en mer au cours d'un voyage vers les Indes. L'enfance de son fils Harry parti l'année précédente enseigner la médecine à Montréal. Et celle de sa fille Elizabeth installée à Londres depuis de nombreuses années. Elle pensa avec regret au domaine familial de *West End* et à ses merveilleux jardins entretenus au prix de tant d'efforts. Si elle disparaissait, ce joyau risquait de tomber dans des mains étrangères.

À cette idée, elle fut envahie d'une grande colère. Elle pensa à cette incroyable fortune accumulée au cours des ans. Ses deux enfants, par avocats interposés, se la disputeraient sans doute sur la place publique. Elle imagina tout son argent dilapidé dans des dépenses exagérées. Puis elle réalisa soudain avec stupeur et avec peut-être un peu de honte, qu'elle se perdait dans des préoccupations bassement matérialistes. Que lui importait l'argent maintenant, elle allait mourir seule, grelottant de froid sur cette mer glaciale, en compagnie de parfaits étrangers.

Pour la première fois de sa vie peut-être, cette égocentrique devint consciente des autres, elle avait besoin d'eux, de leur présence. Il ne lui restait que ces gens se serrant les uns contre les autres, s'entraidant, se réconfortant du mieux qu'ils pouvaient tout en pleurant des être chers. Personne ne la pleurerait. Ann-Mary venait de prendre douloureusement conscience de la futilité de son existence.

La vieille dame fut tirée de ses tristes pensées par le bon Abraham. Il était le seul à bord du canot en dérive à paraître immunisé contre le désespoir. Pendant cette interminable nuit, il n'avait cessé de réconforter, d'encourager, d'inciter les passagers à garder espoir. Dieu ne les avait pas abandonnés; les secours arriveraient. Au moment où il s'apprêtait à adresser la parole à Ann-Mary, son attention fut attirée par un enfant en train de vomir par-dessus bord. Il le soutint du mieux possible. Quand le petit, visiblement atteint du mal de mer, se fut remis, il lui recommanda avec douceur de ne pas regarder les vagues mais de faire porter son regard vers l'horizon. Le garçon, blême comme un drap, lui sourit faiblement et le remercia pour son aide.

Ann-Mary se demanda comment cet être si démuni, si étranger à son rang social, pouvait faire preuve de tant de courage et d'altruisme. Il manifestait beaucoup de compassion envers tous, jeunes ou vieux, riches ou pauvres, gentils ou désagréables. Abraham s'approcha d'elle et tenta de se faire une place à ses côtés mais sa grande besace dont il ne se défaisait jamais, prenait beaucoup de place. Ann-Mary ne bougea pas d'un centimètre, coincée dans ce «maudit canot lugubre», véritable cercueil flottant sur une mer inhospitalière. «*Que me veut-il encore, cet hurluberlu?*» se demanda-t-elle.

«Comment allez-vous, madame?», l'interrogea-t-il à voix basse.

Ça va, pour le moment», répondit-elle d'un ton détaché, mais je ne suis pas sûre de pouvoir tenir encore longtemps. Je suis toute mouillée, j'ai froid... Plus le temps passe, plus je suis persuadée que nous finirons tous au fond de la mer.

Il ne faut pas vous décourager. Si nous avons pu tenir le coup pendant tout ce temps, nous pouvons certainement tenir encore quelques heures. Un navire a sûrement été alerté par le message de détresse du *Titanic*. Nous ne le voyons pas mais il se dirige probablement vers nous. Je vous en prie, reprenez courage! Tout le monde ici a besoin de vous.

– J'ai bien assez de m'occuper de moi; ne me demandez pas d'aider tous ces gens malades. Je n'en ai ni la force ni l'envie.

– L'aide la plus précieuse, celle dont ils ont besoin, ne demande aucun effort physique de votre part. Joignez-vous à eux dans la foi, priez avec eux pour que Dieu nous vienne en aide.

– Ce ne sont pas les prières qui vont nous sauver, c'est un bateau, un navire assez grand pour nous embarquer tous. Je n'en vois aucun à l'horizon, pas même le bout d'un mât ou d'une cheminée. En apercevez-vous un, vous, espèce de rêveur ?

– Je continue d'y croire, madame, la foi déplace des montagnes, vous ne le savez donc pas ? Je suis peut-être un rêveur comme vous dites mais j'ai appris une chose essentielle au cours de ma longue vie : dans le domaine de la spiritualité, point n'est nécessaire de voir pour croire. Les miracles arrivent. Sans un mode de vie spirituel, comment passer à travers les épreuves ? S'il vous reste un fond d'espérance, unissez-vous à nous, car seule la prière peut nous sauver. »

Abraham s'éloigna pour réconforter une femme et son fils qui sanglotaient, serrés l'un contre l'autre. Ann-Mary l'observa sans trop comprendre ; il était compatissant, attentionné. Rien ne semblait l'arrêter. Comment pouvait-il croire en une possible délivrance ? Elle scruta l'horizon. Rien ! Toujours rien ! L'aide attendue n'arrivait pas, n'arriverait jamais. Des larmes qu'elle avait peine à refouler lui montèrent aux yeux. C'était la fin, et peu importe ce qu'en disait ce cinglé d'Abraham, ils allaient tous y passer.

* * *

MONTRÉAL, LE 1ᴱᴿ MARS 1998

Marie-Anne conduisait nerveusement malgré la circulation fluide sur l'autoroute Décarie. Elle gardait prudemment la file de droite, roulant à 70 kilomètres/heure, la vitesse maximale imposée. De temps à autre, elle jetait un coup d'œil au rétroviseur pour s'assurer de ne pas être suivie de trop près par un autre véhicule.

Assise à ses côtés, Barbara, enfermée dans un mutisme impénétrable, ne soufflait mot. Elle se demandait pourquoi elle avait accepté de faire cette cure en interne au centre suggéré par son amie Manon. Depuis la confirmation de son admission, plus d'une fois, elle était venue à un cheveu de téléphoner pour annuler son rendez-vous, mais le courage lui avait manqué. Le courage... et une parcelle d'espoir de se sortir enfin de l'impasse dans laquelle elle se trouvait.

Disparu depuis un mois, Robert n'avait pas daigné donner signe de vie. Elle avait téléphoné plusieurs fois à divers hôpitaux, à la morgue même ; mais toujours pas de nouvelles. Elle avait signalé sa disparition au service de police et des recherches avaient été entreprises. Était-il encore vivant ? Les nerfs à vif, elle ne se possédait plus. La moindre sonnerie de téléphone lui chamboulait le cœur, lui tordait les entrailles. Est-ce que ce serait la voix de son mari ou celle d'un policier lui annonçant un drame épouvantable ? Rien ! Ce vide était insupportable et sa vie d'une tristesse infinie. Elle avait de la difficulté à dormir, elle était souvent impatiente avec Justine. L'autre soir, elle l'avait grondée pour une peccadille et la petite s'était mise à pleurer en criant : « T'es pas fine. Je ne t'aime plus. Je veux mon papa ».

Ce soir-là, Barbara fut incapable de fermer l'œil. On lui avait suggéré de prendre des somnifères mais, étant infirmière, elle connaissait trop bien les dangers d'accoutumance. *« Il y a assez d'un drogué dans la famille »*, se dit-elle. Le lendemain, trop fatiguée pour se rendre au travail, elle avait encore une fois téléphoné pour dire qu'elle était malade. Elle n'en pouvait plus de cette interminable attente, de cette intolérable attente, de cette insupportable attente !

Finalement, à bout de ressources, elle s'était dit que ce séjour dans un centre spécialisé lui servirait de vacances. Si l'atmosphère devenait trop lourde à porter, elle pourrait toujours quitter après quelques jours, sans même donner d'explications ; ce n'était tout de même pas une prison. Elle se résigna à faire une demande d'admission. L'avertissement reçu de son infirmière-chef quelques jours auparavant l'avait convaincue : « Barbara, je ne sais ce qui arrive avec toi, mais si ça continue, je vais devoir faire un rapport à ton sujet. Si tu as des problèmes, règle-les ou va consulter le directeur des ressources humaines. Chose certaine, ça ne peut continuer ainsi. »

Marie-Anne, voyant sa fille plongée dans ses pensées, décida de briser le silence. À voix basse, pour ne pas déranger Justine endormie dans son siège d'enfant sur la banquette arrière, elle engagea la conversation en lui parlant du lieu de leur destination, la Villa Sainte-Marie.

« C'est très bien », paraît-il. « Madame Larose m'en a parlé la semaine dernière. L'une de ses nièces y est allée.

– Tu ne lui as tout de même pas raconté mes histoires ? » répliqua Barbara hors d'elle-même.

– Non, ne t'en fais pas. C'est un pur hasard si nous en sommes arrivées là. Elle me disait que sa nièce est méconnaissable depuis sa sortie. Si j'ai bien compris, elle avait des problèmes de dépendance par rapport au jeu. Elle a dilapidé une petite fortune au casino et ne pouvait passer devant une machine à sous sans y engloutir tout ce qu'elle avait dans son sac à main. Elle a accumulé des dettes énormes. Son salaire a été saisi et la cour l'a également condamnée à suivre une thérapie. C'était ça ou la prison. Aujourd'hui, elle remercie le juge de lui avoir sauvé la vie. »

Barbara écoutait sa mère d'une oreille distraite. Elle regardait les édifices le long de l'autoroute, gardant le silence. Marie-Anne enchaîna.

« Il paraît que les thérapeutes sont extraordinaires. Ils parviennent à faire découvrir à chacun la nature véritable de son problème puis à cheminer vers la guérison.

– C'est dur ?

– Pardon !

– Je te demande si c'est dur comme traitement.

– Madame Larose n'en a pas parlé. Elle m'a simplement dit que sa nièce avait toujours eu la vie facile depuis son enfance et qu'elle n'était pas habituée à se faire dire non. Elle a toujours eu ce qu'elle voulait, et elle faisait tout ce qui lui plaisait : un bébé gâté, quoi. »

Pour rassurer sa fille, Marie-Anne ajouta : « Si la nièce de ma voisine a passé à travers, ça ne doit pas être si difficile que ça. »

* * *

La voiture s'arrêta devant la porte d'entrée de la Villa Sainte-Marie juste au moment où la petite Justine se réveillait.

« Je t'accompagne ? » demanda Marie-Anne.

– Non, je préfère entrer seule. Je ne veux pas que ma fille voit cela. Ce sera plus facile pour elle, et pour moi, si je vous dis au revoir ici.

Merci de m'avoir amenée. Je te donnerai des nouvelles le plus tôt possible. »

Elle se pencha et, le cœur gros, les larmes aux yeux, embrassa Justine, encore à moitié endormie.

« Maman visite quelques amis ici. Grand-maman va s'occuper de toi en attendant. Sois bien sage, ma chérie. Je t'aime. »

Elle alla prendre sa valise dans le coffre et, sans tarder, mais d'un pas mal assuré, elle se dirigea vers l'entrée de la villa. Quand elle se retourna pour saluer sa mère, Marie-Anne démarrait déjà. Elle eut le temps de constater que Justine pleurait en envoyant la main dans sa direction. Elle se rappela les paroles de Manon : « Si tu ne le fais pas pour toi, fais-le pour ta fille. »

Le cœur gros, la tête baissée, elle pénétra à l'intérieur du bâtiment avec appréhension. Une réceptionniste accueillante vérifia son inscription et la pria de patienter dans la salle d'attente où une dizaine de personnes étaient déjà installées. Elle repéra un siège vide entre un homme d'un certain âge aux yeux vitreux et une toute jeune fille blonde à l'allure débraillée. Le groupe était hétéroclite. Il y avait une femme de son âge, visiblement issue d'un milieu pauvre à en juger par sa tenue, un garçon dans la vingtaine vêtu d'un blouson de cuir et un homme d'une soixantaine d'années sans doute plus habitué aux grands hôtels qu'aux centres de thérapie. *« Mon Dieu »*, se dit-elle, *« dans quel monde suis-je tombée ! Je n'ai vraiment rien à faire ici. Je devrais partir pendant qu'il en est encore temps »*.

Elle n'en eut pas le temps, car moins de cinq minutes après son arrivée, une femme au sourire chaleureux entra dans la salle d'attente.

« Bonjour ! Mon nom est Lise. Je suis la directrice du centre et la responsable de votre groupe. Je vous souhaite la bienvenue à la Villa Sainte-Marie. J'espère que vous apprécierez votre séjour parmi nous et qu'il sera bénéfique à tous. L'horaire de cet après-midi est assez simple. Je vais vous indiquer le numéro de votre chambre ; vous pouvez vous y installer dès maintenant. Par la suite, je vous rencontrerai individuellement dans mon bureau. Les autres pourront se promener à l'extérieur ou faire une sieste si le cœur leur en dit. Nous mangeons à dix-huit heures; je vous demanderais d'être ponctuels. Ce soir, nous aurons notre première réunion. Une dernière chose : vous pouvez jaser entre vous mais, je vous en prie, ne parlez pas de la raison pour laquelle vous êtes ici. Gardez cela pour nos réunions de groupe. »

Lise fit ensuite le tour des personnes présentes, leur assigna une chambre et fixa à chacun une heure précise de rendez-vous. Barbara obtint la chambre numéro six située au deuxième étage et devait se présenter au bureau de la thérapeute à seize heures. Elle prit sa valise et monta l'escalier sans dire un mot. Sa mine renfrognée en disait long sur son état d'esprit.

Elle trouva la pièce bien exiguë avec son petit lit simple. L'unique commode à trois tiroirs étroits, la minuscule table de travail où elle pourrait écrire et un placard à peine assez grand pour suspendre quelques vêtements lui déplurent. Elle chercha en vain les toilettes; il n'y en avait pas. Elle devrait donc partager la salle de bains commune située à l'autre bout du couloir. Le mois serait long. Elle se mit à sangloter de rage et de dépit. Jamais elle ne s'était sentie aussi pauvre, misérable, abandonnée de tous.

En ouvrant sa valise, elle s'empara de la photo de Justine et la déposa sur la table en la regardant longuement. Une vague de culpabilité l'envahit. Elle serait séparée de sa petite fille pendant un bon moment. Elle qui se faisait un point d'honneur de la border chaque soir sauf quand son horaire de travail l'en empêchait ! *Au moins, elle pouvait compter sur son père dans ces cas-là* », se dit-elle en éprouvant du ressentiment de plus belle à l'égard du responsable de sa tragédie.

Elle rangea ses vêtements le plus rapidement possible car elle n'avait qu'une idée en tête : sortir de sa chambre pour prendre l'air avant son rendez-vous avec Lise. Au fond de sa valise, elle trouva un cahier vierge, un cadeau de Manon; il lui servirait de journal de bord pendant sa cure. Elle le déposa sur la table et l'ouvrant à la première page y inscrivit simplement : « Le dimanche, 1er mars » et, sur la ligne suivante, « arrivée à la Villa à 15 heures ». Peu habituée à être en contact avec ses émotions, elle ne trouva rien à ajouter. Prenant son manteau, Barbara descendit l'escalier et se dirigea vers la sortie.

* * *

En mettant le nez dehors, le vent froid la cingla au visage. Elle releva son col et emprunta le sentier menant au bord de la rivière. Partout autour d'elle, des branches brisées jonchaient le sol; elle constata les importants dégâts causés aux arbres par la tempête de verglas de janvier. Malgré le soleil éclatant et un ciel pur et sans nuage, le spectacle était désolant. Rendue au bord de la rivière, Barbara observa les étranges vagues dessinées par le vent sur la surface gelée. Ce paysage lui rappelait quelque chose. Mais quoi? Tout à coup, l'image d'un naufrage lui envahit l'esprit, un naufrage intérieur pénible à supporter, le naufrage de sa propre vie. Pourrait-elle jamais s'en sortir?

Elle poursuivit sa marche, la tête baissée, perdue dans ses réflexions. Elle pensa à Justine dont Marie-Anne s'occuperait pendant son absence. «Était-ce une bonne idée de la confier à sa grand-mère? Une enfant de cet âge-là, ça déploie beaucoup d'énergie et, il fallait bien le dire, sa mère n'était plus de la première jeunesse. Mais Marie-Anne avait tellement insisté invoquant que ça ne la fatiguerait pas, et que ce serait si amusant de dorloter sa petite-fille. Pas question de la confier à des étrangers. Barbara avait résisté mais elle céda à la tentation d'accepter quand Marie-Anne lui promit de recourir aux services d'une «nounou» pour s'occuper de la petite.

Elle n'avait donc pas de problèmes immédiats à envisager du côté de sa mère et de sa fille. Ses pensées se tournèrent alors vers son mari. Où était-il celui-là? Elle n'en avait toujours aucune idée. Elle décida de rentrer même si la perspective d'affronter la thérapeute ne lui souriait guère. Sur le palier, Barbara jeta un regard autour d'elle, prit une profonde respiration, question de se donner une certaine contenance, et rentra bien décidée à faire face à la musique.

* * *

La porte du bureau s'ouvrit et la jeune fille blonde, qu'elle avait aperçue plus tôt dans la salle d'attente, en sortit la tête basse. Elle semblait avoir été frappée par la foudre. C'était maintenant à son tour d'entrer dans l'antre du diable.

À sa grande surprise, l'accueil fut plutôt cordial. Lise la reçut avec un large sourire et l'invita à s'asseoir en face d'elle. Elle était au courant des grandes lignes de sa vie des derniers mois et ne lui demanda donc pas de lui raconter à nouveau toute l'histoire. Elle tenta plutôt de la rassurer.

« Ce ne sera pas toujours facile pendant ces vingt-huit jours mais tu peux nous faire confiance à mon équipe et à moi. Nous avons eu des cas pires que le tien et nous pouvons nous vanter d'avoir réussi des choses plutôt extraordinaires. Nous pouvons t'aider, sois-en certaine. »

Ces paroles réconfortantes furent un véritable baume pour la jeune femme angoissée. Pour la première fois depuis son arrivée, Barbara se sentit en confiance. Lise, malgré son jeune âge, agissait de façon professionnelle et humaine et elle aborda immédiatement la question des horaires et des règlements :

« Avec un groupe de quarante-cinq personnes, nous ne pouvons nous permettre de laisser tous et chacun faire tout à sa guise. Les horaires doivent être respectés à la lettre. Cela fait partie du traitement d'avoir une bonne discipline de vie. Ainsi, lorsqu'une rencontre est prévue pour vingt heures, tout le monde doit y être. Le succès de la thérapie en dépend. En dehors des périodes de rencontres, mes collègues et moi sommes à ta disposition pour parler, pour discuter, ou juste pour t'écouter si tu as besoin de t'exprimer. N'hésite pas à venir nous voir. Nous sommes là pour ça. Voici une autre règle absolument inflexible de la maison : il est totalement interdit de téléphoner durant la première semaine. »

Lise prononça cette dernière phrase avec autorité. Ce fut comme un coup de massue pour Barbara. Elle s'insurgea intérieurement. Elle ne pourrait même pas communiquer avec sa mère pour avoir des nouvelles de sa petite fille ? Elle ne pourrait pas non plus tenter de rejoindre Robert ? Ce règlement lui sembla inutile et surtout cruel. Elle verrait plus tard s'il y avait moyen de le contourner.

« Voilà », conclut Lise. « Les autres consignes seront données ce soir. Si tu n'as pas de questions, je vais passer au prochain pensionnaire.

– Ça va pour l'instant », se contenta de dire Barbara laconiquement, sans la moindre trace d'un sourire.

Elle retourna à sa chambre pour changer de vêtements avant le repas du soir. Son regard fut attiré par une affiche placée à côté du placard. On pouvait y lire :

« L'action peut tout changer, à la condition de passer à l'action ».

La signification de cette courte phrase lui sembla mystérieuse et obscure.

Chapitre 7

LA DÉPENDANCE AFFECTIVE

MONTRÉAL, MARS 1998

Tous les soirs, Barbara retournait à sa chambre avec le sentiment d'avoir royalement perdu son temps. Son attitude froide et hautaine n'aidait pas les intervenants durant cette première semaine. Les ateliers, portant sur divers thèmes, se succédaient. Selon la journée, on parlait de prise de conscience, de la difficulté à vivre ses émotions, de l'importance de l'estime de soi, toutes des notions qui lui rappelaient vaguement ses cours de psychologie 101 au collège. Tout ceci l'intéressait plus ou moins. *« De la psychothérapie d'amateurs, d'enfants d'école »* pensait-elle avec une pointe de mépris pour nier sa douloureuse réalité. En jargon de toxicomanie, les thérapeutes appellent cela du déni, réaction très courante chez les épouses d'alcooliques ou de toxicomanes. Cela Barbara ne le savait pas ou ne voulait pas le savoir. Se considérant forte, terre-à-terre, responsable et fonctionnelle, elle protégeait son image. Pourquoi aurait-elle pris le temps d'analyser sa personnalité pour en détecter les carences?

« Comme si j'en avais le temps et l'énergie. De toute façon, même si je l'avais voulu…, toutes mes énergies étaient consacrées à sauver Robert. Je suis ce que je suis. J'ai 26 ans, je suis une professionnelle responsable et une bonne mère de famille. Peut-on demander plus? J'ai fait le possible et l'impossible pour que les gens autour de moi soient heureux; mon mari, ma fille, mes patients. Alors… »

Malgré tout, Barbara ne se sentait pas très à l'aise dans sa rationalisation des choses. De violentes attaques de culpabilité l'abattaient. *«Comment puis-je prétendre être une bonne épouse quand mon mari est malheureux au point de se droguer? Je me prétends une mère responsable? Pourtant ma petite fille souffre »*. Elle ne s'en rendait pas compte mais ce brouhaha émotif indiquait un début de prise de conscience. À défaut d'avoir toutes les réponses, elle commençait à se poser les bonnes questions. En admettant son impuissance, elle devenait un peu plus réceptive au cours des ateliers. Son attitude demeurait cependant supérieure et méprisante comme si, inconsciemment, elle tentait par ce mécanisme de protection de cacher une profonde souffrance. La coupe déborda le jour où il fut question de « Force supérieure » et « d'un Dieu tel que vous le concevez ». Elle se rappela les paroles de sa mère et fit une véritable crise de rage, surprenant l'intervenant de service ce jour-là. Cette femme froide et lointaine commençait enfin à réagir. Barbara l'invectiva devant tout le groupe.

Qu'avaient-ils tous à vouloir la convertir ? Elle devrait peut-être se faire carmélite et prononcer des vœux de pauvreté, de chasteté et d'obéissance tant qu'à y être ? Avec un petit rire nerveux, elle explosa.

« Et toi, le thérapeute, si tu n'as pas autre chose à offrir que la religion pour régler le problème de Robert... »

Révoltée, Barbara voulait envoyer promener tout le monde et la thérapie par surcroît. Elle souhaitait quitter ce centre où œuvraient des incompétents, des minables, des bons à rien. Finalement, elle se tut mais elle en avait encore gros sur le cœur. Elle exprima son trop-plein d'insatisfaction dans son journal et s'étonna de constater que le fait de se défouler par écrit désamorçait sa colère. Elle se sentit mieux !

Le dimanche suivant, elle fut enfin autorisée, comme les autres pensionnaires, à communiquer avec l'extérieur. Elle téléphona à Marie-Anne pour faire prendre des nouvelles de Justine dont elle s'ennuyait profondément. Pas de chance, elles n'étaient pas à la maison en ce début d'après-midi radieux. Le cœur battant, elle appela chez elle pour écouter les messages sur le répondeur. Robert avait sûrement donné signe de vie. Le cœur battant, elle écouta les messages : l'agent d'assurances, la secrétaire de son dentiste et une collègue inquiète de son absence au travail. Pas un mot de son mari, rien. Frustrée, Barbara se résolut à rappeler sa mère au cours de la soirée. Peut-être avait-elle eu des nouvelles de Robert ?

Après la séance du soir, elle arriva enfin à rejoindre Marie-Anne. Déception : il était trop tard pour parler à sa petite fille déjà endormie et, non, pas de nouvelles de Robert. La conversation fut brève, sans émotion. Tout allait bien; rien de spécial à signaler concernant Justine. Marie-Anne ne lui demanda pas de nouvelles de son séjour au centre. Elle savait sa fille entre bonnes mains et faisait confiance à la vie. Barbara passerait à travers l'exigeante épreuve de la thérapie.

Le mardi suivant, la réunion en soirée se termina plus tôt. Avant de lever la séance, Lise prévint les membres du groupe.

« Je vous recommande de vous coucher tôt. La journée de demain risque d'être essoufflante, peut-être même pénible pour certains. Je ne serai pas là. Frédéric me remplacera. »

Lise n'avait pas voulu énerver ses pensionnaires; mais pour des personnes anxieuses, stressées, ayant des tas de problèmes à régler, ces paroles parurent menaçantes. Tous exprimèrent d'ailleurs une certaine inquiétude sauf Barbara qui, fidèle à son habitude, se tint à l'écart, ignorant tout le monde. Elle souffrait un peu de cet isolement mais elle n'était tout de même pas pour se confier à des drogués, à des femmes battues ou à des ouvriers. Il y avait bien cet homme vêtu avec soin, mais il valait mieux ne courir aucun risque et ne faire confiance à personne. Après tout, elle était une femme de médecin et une professionnelle. Pourquoi se mettre au niveau de personnes inférieures qui n'appartenaient pas à son rang social? Une phrase souvent prononcée par sa mère lui revint à l'esprit : « Ce n'est pas croyable à quel point tu ressembles parfois à ton arrière-arrière-grand-mère. Elle a fait beaucoup de bien autour d'elle mais on a également beaucoup parlé de son snobisme. »

Elle remonta à sa chambre pour écrire. Il y avait au moins cet exutoire. N'y parvenant pas, elle ferma brusquement son journal et se coucha. Elle ne s'endormit pas avant minuit et passa une nuit plutôt agitée.

Le réveil sonna trop tôt. Elle aurait bien voulu rester au lit mais elle se leva tout de même et descendit sans tarder à la salle à manger. Personne ne parlait; on sentait une certaine fébrilité dans l'air. Barbara, attablée devant un deuxième café, fut la dernière à quitter la pièce. Pourquoi se sentait-elle si angoissée?

En arrivant à la salle de réunion, elle remarqua l'attitude songeuse de Frédéric en train de réviser ses notes pour la rencontre du matin.

Tous étaient impatients de l'entendre. Au bout d'un moment, il se leva, contourna le double cercle formé par les pupitres des participants et, d'une voix douce mais déterminée, lança le sujet du jour.

« Aujourd'hui, il sera question de dépendance et de codépendance. Chacun d'entre vous devrait se reconnaître dans l'une ou l'autre des descriptions, et peut-être même dans les deux. Mon intervention de ce matin sera plutôt de nature théorique mais je vais donner des exemples concrets pour vous aider à bien comprendre. Si vous avez des questions, n'hésitez pas à m'interrompre. Il est important que ces concepts soient clairs non seulement pour l'exercice que vous aurez à faire plus tard mais pour vous aider, par la suite, à mieux gérer votre vie. »

Frédéric fit une pause. Il voulait être bien compris. Il enchaîna.

« Nous allons commencer par préciser le sens de certains mots. Un alcoolique et un toxicomane sont dans un état de dépendance. Ils dépendent de substances comme le scotch, la bière, la cocaïne, la marijuana, ou de drogues dites légales comme certains médicaments : l'ativan, le valium, par exemple, pour être heureux..., croient-ils. On peut attribuer ce comportement, en partie, à des influences héréditaires ou génétiques.

– Pourrais-tu nous expliquer les autres comportements ? » demanda Barbara toujours préoccupée par l'idée de régler le « cas » de Robert ?

– Il est le même dans toutes les dépendances comme le jeu, le magasinage compulsif, la sexualité débridée, les alcooliques du travail, les outremangeurs et les autres. Toujours dans l'extrême, la démesure. Dans ces derniers cas, il n'y a pas de substance toxique mais la dépendance est aussi forte. Quel comportement les caractérise ? C'est difficile à cerner, mais cela varie. Quoi qu'il en soit, retenez bien les trois mots suivants ; c'est facile, ils commencent tous par la lettre i : immature, infantile, irresponsable. »

Barbara acquiesça. Oui, en quelques mots très simples, Frédéric venait de cerner les principales caractéristiques de son mari. Elle soupira de soulagement. *Les contraires s'attirent. Au moins, je ne suis pas comme Robert. Tant mieux.* »

« Frédéric, pourquoi certaines personnes sont-elles ainsi ?

– Attends, Barbara, tu vas un peu vite. Je vais répondre à ta question en temps et lieu. Laisse-moi clarifier auparavant deux autres termes avec lesquels vous êtes sûrement moins familiers : codépendance et dépendance affectives. La personne vivant avec un alcoolique ou un toxicomane est un être codépendant avec tous les inconvénients que cela peut comporter.

– Frédéric, es-tu en train de nous dire que la dépendance et la codépendance c'est à peu près la même chose ?

– Je dirais que oui ; ces deux comportements malsains trouvent tous les deux leurs racines dans la dépendance affective. »

Barbara commençait à avoir mal à la tête. C'était très compliqué. Elle n'avait jamais entendu parler de ces concepts. *Une infirmière devrait pourtant avoir entendu parler de tout cela*, se dit-elle. Comme toujours, elle faisait de l'« évitement » car dépendance et codépendance étant le complément l'une de l'autre, cette assertion la remettait, elle aussi, en question. Habilement, elle fit de nouveau de Robert le point de mire.

« Frédéric, mon mari est toxicomane. Pourrais-tu au moins m'expliquer pourquoi ?

– J'arrivais justement à la dépendance affective. Si nous examinons les comportements autodestructeurs des êtres dépendants et codépendants, nous découvrons toujours beaucoup de similarités. Ces personnes souffrent de la toxicomanie de l'an 2000, c'est-à-dire de dépendance affective. Cette dernière a été identifiée assez récemment. »

Plusieurs mains se levèrent. On voulait des explications. Frédéric leur fit un portrait très clair où la plupart se reconnurent sur-le-champ.

« Le dépendant affectif est issu, en général, d'une famille dysfonctionnelle. Il s'ensuit un manque flagrant d'autonomie, d'où le drame. Car la personne carencée sur le plan affectif est incapable de faire face au réel. C'est la chute, le vertige, le grand vide. Il faut absolument le combler.

– À part l'alcool, donne-nous des exemples de comportements compulsifs ?» demanda un Italien assis derrière Barbara.

– Nous parlons d'exagération, de déséquilibre, de perte de contrôle finalement. Une Imelda Marcos possédait plus de 800 paires de chaussures. C'est beaucoup, ne trouvez-vous pas ? Un Bill Clinton, se sachant surveillé, épié, suivi, poursuivait tout de même une insignifiante aventure sexuelle risquant d'entraîner sa chute, et de démolir sa vie familiale et professionnelle. »

Frédéric développait son idée. Mais Barbara ne l'écoutait plus. Perdue dans ses pensées, elle songeait encore et toujours à Robert. Elle n'avait jamais réellement remarqué le manque flagrant d'autonomie chez lui. Par le passé, il s'était souvent plaint du manque d'appui de ses parents et il avait souffert du manque de soutien moral de son père et de sa mère. Ces derniers n'avaient pas cru en lui, dans son désir de devenir médecin. Il avait gagné ses études à la sueur de son front. «Jamais je n'ai reçu un compliment ou un encouragement de mes parents», lui avait-il confié. Pourtant un enfant a besoin de valorisation. Un parent adéquat doit souligner aussi les points forts, pas seulement les points faibles. Le problème est également culturel. Dans notre sacro-sainte province de Québec, on ne faisait jamais de compliments aux enfants. «Pour ne pas les inciter au péché d'orgueil», disaient les religieuses. Cela pouvait expliquer certaines carences affectives de Robert. *Je me demande bien pourquoi, après ses sevrages, on ne l'a pas fait travailler sur sa propre problématique »*, se demanda Barbara. *«Ça l'aurait peut-être empêché de rechuter. De toute façon, il aurait sans doute plus besoin que moi d'être ici. »*

Frédéric proposa une pause-café prévenant le groupe que la deuxième partie de l'atelier porterait sur la dépendance affective. Juste à voir l'expression de ses pensionnaires, il constata sans surprise leur ignorance face à la signification de ce mot. Mais il avait habilement piqué leur curiosité.

Le café rapidement avalé, tous revinrent dans la salle ; on avait hâte d'en savoir plus long. Frédéric continua son exposé sachant d'avance que l'orgueil de certaines personnes en prendrait un coup. C'est le prix à payer si l'on veut se rebâtir sur des bases plus solides.

« Nous allons maintenant regarder de plus près la dépendance affective. Cela ne s'avère pas aussi facile à cerner que les problèmes de drogue, d'alcool ou de jeu. C'est plus subtil. Dans certains cas, ça peut même passer pour une vertu. Je vous distribue un feuillet avec certaines caractéristiques. Cochez celles où vous vous reconnaissez. Cependant, vous n'avez pas à vous reconnaître à travers chaque particularité. »

Barbara lut la feuille, persuadée d'avoir enfin en main la réponse au problème présenté par son mari. Robert oscillait entre les dominés/dominants. Elle, penchait un peu du côté des victimes mais surtout du sauveur. Cela ne fit pas son affaire. Le feuillet faisait également mention de diverses autres caractéristiques.

– Besoin de se sentir indispensable, de prendre une attitude de sacrifié.

– Anticiper les besoins des autres.

– Ne jamais exprimer ses besoins et ses désirs.

– Toujours donner, ne jamais recevoir.

– Se sentir responsable de tout le monde et des résultats de leur irresponsabilité.

– Pas de place pour l'erreur ; perfectionnisme. Source de culpabilité.

– Intolérance ; complexe de supériorité.

– Incapacité de se détendre, de se reposer.

Barbara était en état de choc. Le miroir lui reflétait une image fort désagréable. Elle, une si bonne personne, prête à aider tout le monde... Ce besoin de se rendre utile, d'avoir un sentiment d'appartenance, relevait de la dépendance affective ?

Impitoyable, la voix de Frédéric enchaînait.

« L'alcoolique s'oublie dans son verre ; le dépendant affectif s'oublie dans les autres. Il ferait n'importe quoi pour ne pas se voir finalement. C'est là sa véritable mais secrète motivation car il n'en est pas conscient. »

Barbara, pas trop contente d'entendre ces choses, tenta de piéger Frédéric.

« Je n'ai jamais entendu parler de tout cela. Est-il possible de vérifier ces affirmations dans certains livres ou études, surtout en ce qui a trait au côté sauveur ?

– Le thérapeute Scott Egleson a écrit : "Nous glissons dans le rôle du sauveur, entre autres choses, quand nous prenons en charge une personne dans sa façon de penser, dans ses sentiments, ses décisions, ses attitudes, son cheminement, son bien-être et son destin." Mais, tout ceci n'a pas à être triste, dramatique. Ainsi, l'écrivaine Yolande Vigeant donne une définition assez humoristique de la dépendance affective[1]: "Une personne qui veut absolument donner ce qu'elle n'a pas à une personne n'en voulant pas." Pour ne pas être en reste, Marcel Mercier[2] déclare : "Un dépendant affectif, c'est une remorque à moteur."»

On aurait pu entendre une mouche voler dans la salle. Certains membres du groupe, dont Barbara, étaient visiblement ébranlés. L'intervenant posa un certain nombre de questions au groupe en suggérant de répondre par écrit. Le but étant de pratiquer l'humilité et non pas d'humilier les autres en public.

« Faites-vous ce que vous n'avez pas toujours envie de faire ? Dites-vous oui quand vous avez envie de dire non ?»

En une fraction de seconde, de nombreux épisodes de sa vie passée surgirent à l'esprit de Barbara. Combien de fois avait-elle accepté d'accompagner Bob dans des congrès sans intérêt pour elle ? Il adorait la nourriture chinoise ; elle préférait l'italienne. Ils allaient le plus souvent dans le quartier chinois.

« Faites-vous le travail de l'autre quand il pourrait ou devrait le faire ? Allez-vous vers les besoins de l'autre sans qu'il vous ait demandé ? En faites-vous toujours plus qu'on vous en demande ?»

---

1.   Yolande Vigeant, *Espoir pour les mal-aimés*, Éditions Le Manuscrit Édimag, 1990.
2.   Directeur-fondateur du Domaine La Solitude Sainte-Françoise.

Là encore Barbara se reconnut. Elle s'occupait de tout à la maison : des repas, du décor, du ménage, du choix des vêtements, des comptes à payer. Bob avait des journées tellement dures à l'hôpital !

« Imposez-vous vos idées aux autres ? Pensez-vous à leur place ? Supportez-vous les conséquences de leurs actes ? Résolvez-vous les problèmes à leur place ? »

Chaque phrase faisait tressaillir Barbara. Elle était comme ça ! Pourtant, Robert était assez intelligent pour penser par lui-même, prendre ses décisions et assumer ses responsabilités. Il le faisait tous les jours dans son rôle de médecin. Pourquoi ne l'aurait-il pas fait dans leur vie de couple ? Dans sa précipitation à aller au-devant de ses désirs, peut-être l'avait-elle empêché de jouer son véritable rôle ?

« Investissez-vous toujours plus d'énergie et d'intérêt que l'autre dans un effort commun ? Vous oubliez-vous pour l'autre aux dépens de votre propre bien-être ? Donnez-vous plus que vous ne recevez dans une situation donnée ? »

Frédéric n'avait pas besoin de faire de dessin. Tout cela correspondait à sa réalité quotidienne. Elle comprit la raison de sa colère, de son profond ressentiment : en acceptant les incartades de son mari, elle se détruisait... sans en être consciente.

Frédéric poursuivit :

« Le dépendant affectif abandonne ses intérêts personnels pour se concentrer sur l'autre, devenu son centre de gravité, sa raison d'exister. Il s'agit, dans le cas du dépendant affectif, de le responsabiliser face à sa façon de penser et à ses choix de vie. C'est la seule façon de retrouver son autonomie affective. On doit se dire, se répéter souvent : *"Je n'ai pas à rendre les autres responsables de mon bonheur ou de mes malheurs. Je ne suis pas responsable du bonheur ou des malheurs des autres. Je suis le problème. Je suis donc la solution."* »

Barbara se rappela tout à coup du jour où Bob l'avait demandée en mariage. Sa première réaction avait été de se dire : «*Oui, je vais le rendre heureux.*» Mais elle dans tout cela ?

Frédéric écrivit une pensée au tableau, indiquant honnêtement qu'il n'en connaissait pas l'auteur.

« NOUS FAISONS TELLEMENT ATTENTION À CE QUE PERSONNE NE SOUFFRE! ENFIN... PERSONNE SAUF NOUS-MÊME!

Cette phrase frappa Barbara comme un coup de poing en plein cœur. Elle avait toujours cru que sa raison d'exister était de rendre les autres heureux. Son bonheur résidait dans sa capacité à se mettre au service des autres. Elle se rebella. «*Allons donc! Il n'y a tout de même pas de mal à faire du bien! Je ne suis pas une égoïste.*» Elle demanda à Frédéric, sur un ton persifleur, s'il considérait Mère Teresa comme étant une malade, une dépendante affective et une névrosée. Ce dernier lui répondit calmement de méditer sur le sens du don joyeux de soi par opposition au sacrifice frustrant de soi. Il ajouta en souriant : « Il n'y a pas de mal à se faire du bien non plus, Barbara. » Prise au dépourvu, elle ne sut que répondre.

* * *

Profondément troublée par tout ce qu'elle venait d'entendre, Barbara n'avait pas grand appétit. Elle s'isola dans un coin de la salle à manger et grignota son repas du bout des lèvres. Elle aurait voulu se retrouver seule dans sa chambre, pleurer à chaudes larmes à l'abri des regards indiscrets. Pour la première fois depuis son arrivée au centre, le thérapeute avait touché un point sensible. La femme forte se sentait faible, vulnérable. «*Mon bonheur ne dépend pas de ma capacité à faire celui des autres.*» Cette simple phrase annihilait la base même, le fondement de toute sa vie depuis des années. Tout s'écroulait... comme un château de cartes. Elle en ressentit une grande et intolérable sensation de vide.

* * *

De retour à la salle de réunion, Frédéric donna les consignes pour le travail de l'après-midi. Chacun devait retourner à sa chambre et y faire, par écrit, le bilan de sa vie.

« Cette étape, considérée fastidieuse par certains, est la plus importante de votre thérapie. Le point de mire n'est plus sur l'autre mais sur

vous ! Vous cesserez ainsi de faire l'inventaire des défauts et des défi-
ciences de l'autre pour découvrir enfin qui vous êtes vraiment. Je vous
préviens, ce ne sera pas facile surtout si vous avez toujours été branché
sur les besoins de l'autre ou des autres, selon le cas. Ne cherchez plus la
paille dans l'œil de l'autre ; voyez plutôt la poutre dans le vôtre. Si vous
voulez avancer, si vous voulez évoluer, il faut tout d'abord avoir un désir
sincère de changer. La seule recommandation que je me permets de
vous faire est d'être le plus honnête possible. Bon après-midi. »

Frédéric libéra le groupe et chacun regagna sa chambre. Barbara
traînait les pieds, redoutait l'exercice. Cette experte de l'« évitement »,
prête à tout pour ne pas se voir, était piégée, prisonnière d'elle-même.

Barbara tournait en rond dans sa chambre, cherchant un prétexte
pour retarder la séance d'écriture. Elle replaça le couvre-lit, rangea un
pantalon, poussa une chaise et décida de changer de vêtements. Elle prit
tout son temps. Puis, elle se planta devant la fenêtre et regarda longuement en direction de la rivière où des enfants s'amusaient à glisser le
long des berges. Comme elle aurait voulu en faire autant ! Tout plutôt
que d'avoir à faire une rétrospective de sa vie, une vie qui finalement
n'avait pas beaucoup de sens.

On frappa à sa porte. Lise entra sans attendre d'invitation. Re-
marquant le cahier fermé sur la table de travail, elle conclut à la résistance de Barbara devant l'effort. Malgré l'air buté de cette dernière,
l'intervenante engagea la conversation.

« Tu as de la difficulté à commencer ?

– Ce n'est pas facile », répliqua Barbara.

– Sais-tu pourquoi ? parce que c'est un exercice d'humilité. Il est
beaucoup plus simple de trouver les torts des autres que les nôtres. Ainsi,
tu peux te sentir supérieure. Mais, crois-moi, ce bilan est important.
C'est l'étape de la libération et du changement. Car tout commence par
soi. C'est un manque de respect de faire assumer nos responsabilités par
les autres, mais c'est également un manque de respect envers soi-même
d'accepter les responsabilités des autres. D'accord ?

– Tout ceci est logique », reconnut Barbara, « mais je ne sais trop par où commencer. Je me sens complètement perdue.

– Je te comprends. Ce processus n'est pas facile. L'ego se défend. Je te suggère de dresser la liste de tes ressentiments et de tes blessures. Avant de déterminer où tu veux aller avec ta vie, il te faut d'abord savoir d'où tu pars et où tu en es rendue. Examine avec attention le rôle que tu as joué dans ta vie pour évaluer si tes valeurs sont adéquates, si elles vont dans le sens de ton épanouissement personnel. Garde ce qui fait ton affaire, élimine le reste. Accepte de ne pas être le centre de l'univers ; tu n'as pas à porter la planète entière sur tes épaules. Dès aujourd'hui, en changeant ta façon de penser, tu pourras enfin accomplir ta destinée.

– Laquelle serait... ?

– D'être une femme heureuse et épanouie. C'est pour cela que le Créateur nous a mis sur la terre. Il te faudra cependant être maîtresse de ta barque. Comment faire ? Tu pourrais, par exemple, demander à ton mari d'assumer sa part de responsabilités à ton retour à la maison. Ce serait te respecter et lui rendre service car il doit retrouver son autonomie. Sans t'en douter, en le traitant comme un enfant, tu as nourri sa dépendance.

– Là, tu vas trop loin, Lise. C'est un malade, je ne pouvais tout de même pas l'abandonner à son sort.

– Je n'ai pas dit cela. Mais s'il ne veut rien savoir, s'il refuse de se soigner et "siphonne" toutes tes énergies... tu n'as tout de même pas à nourrir sa maladie en te rendant malade. Pour une fois, pense à toi, uniquement à toi en faisant cet inventaire. Bonne chance. »

Lise se leva et fit quelques pas vers la porte. Elle se retourna.

« Ça va aller ?

– Ça va aller ! Merci de tes suggestions. Je vais y réfléchir.

– Au lieu de réfléchir, passe donc à l'action ! »

Enfin libérée de l'angoisse qui la tenaillait depuis longtemps, elle éteignit le plafonnier, alluma la petite lampe posée sur sa table de travail et se mit à écrire sans hésitation.

Barbara croyait n'avoir rien à dire. Mais au fil de cet exercice d'écriture, plusieurs anciennes blessures non cicatrisées refaisaient surface.

Les ressentiments déboulaient, rebondissaient dans son esprit comme autant de pierres trop lourdes pour ses frêles épaules. Elle avait sept ans quand sa mère avait refusé de l'inscrire à des cours de violon; le patinage artistique suffirait. Ça lui avait brisé le cœur. À dix ans, son père l'abandonna en quittant sa mère pour une femme plus jeune. Elle avait été sans nouvelles de lui pendant au moins deux ans. À quinze ans, son professeur d'éducation physique lui avait fait des attouchements. Elle n'avait jamais osé en parler à personne. À dix-sept ans, son premier grand amour se solda par une rupture sans aucune explication. Elle mit des mois à s'en remettre. À vingt et un ans, sa mère avait fait des pieds et des mains pour contrecarrer ses projets de mariage avec Robert. La noce s'était déroulée dans une atmosphère triste et lourde.

Deux ans plus tard, une collègue de travail dénonça à l'infirmière-chef une erreur de médication dont elle la tenait responsable. On découvrit par la suite que le médecin traitant avait oublié d'indiquer le dosage au dossier. L'année dernière, elle fut exclue de l'équipe d'un chirurgien sous prétexte d'incompétence. Quand il fut suspendu par le Collège des médecins deux mois plus tard, le mal était fait. Il y avait une tache au dossier de Barbara. Maintenant, son mari en pleine rechute disparaissait sans donner signe de vie, et l'abandonnait avec leur petite fille. Elle se remit à pleurer de plus belle. Ce rejet de Robert lui faisait revivre le rejet de son propre père. Barbara venait de découvrir la cause initiale et profonde de sa peine, de son vide, de sa dépendance affective.

Son crayon courait frénétiquement sur les pages. Chaque période difficile de sa vie en faisait ressurgir une autre, plus difficile encore; que de souvenirs pénibles à revivre! Barbara, noyée sous la violence de ses émotions, hoquetait, sanglotait, pleurait comme une Madeleine. Elle manquait d'air, suffoquait presque. Elle persista malgré ses doigts crispés qui la faisaient terriblement souffrir.

Après trois heures d'une épreuve d'endurance comme elle n'en avait jamais connue, elle s'arrêta, vidée. Elle compta les pages. Vingt-deux!

Vingt-deux feuillets d'une écriture fine, serrée, parfois illisible, certains tachés de larmes, d'autres raturés abondamment comme si les mots n'étaient jamais assez forts pour exprimer ce qu'elle ressentait. Barbara était épuisée, mais jamais elle ne s'était sentie aussi calme, finalement libérée des frustrations accumulées pendant des années.

Elle referma son cahier, éteignit la lumière et alla s'étendre sur le lit pour récupérer. Une phrase entendue en fin d'avant-midi lui revint à l'esprit. «Mon bonheur ne dépend pas des autres.» Elle le savait maintenant : son salut passait par cette étonnante révélation. Si elle voulait vraiment changer, toute sa démarche devait se faire à partir de cette seule et unique considération. Elle soupira, soulagée. *«Je viens d'enlever le pouvoir aux autres. Je suis enfin maîtresse de ma vie, de mon bonheur.»*

Un peu surprise de la rapidité de ces changements intérieurs, elle imagina, avec un léger sentiment de honte, qu'une force supérieure avait peut-être contribué à sa prise de conscience. En acceptant cette faiblesse passagère, elle décida de lui confier sa vie et sa volonté.

«Mon Dieu, je Vous remercie de m'avoir ouvert les yeux. Merci également au nom de ma petite Justine. Donnez-moi la force de maintenir ma décision. J'ai besoin de Vous, de Votre amour. Aidez-moi.»

Après avoir prié, elle s'endormit d'un sommeil de plomb. À l'extérieur, le soleil se couchait de l'autre côté de la rivière.

* * *

OCÉAN ATLANTIQUE, AVRIL 1912

En rouvrant les yeux, elle aperçut une faible lueur à l'horizon. Le soleil se lèverait bientôt sur un nouveau jour. Serait-ce le dernier de sa vie ?

«Mon Dieu, si vous existez…, sauvez ces pauvres malheureux. Je ne Vous le demande pas pour moi, mais pour eux. Oubliez la vieille égoïste que je suis. Je mérite de finir au fond de l'océan, mais eux, qu'ont-ils donc fait pour vivre un aussi grand malheur ? Je Vous en prie, venez à leur secours.» Ann-Mary ferma les yeux. Pour une rare fois, elle venait de s'adresser à Dieu.

Chapitre 8

LA CULPABILITÉ

OCÉAN ATLANTIQUE, 15 AVRIL 1912

L e jour commençait à poindre sur une mer parsemée d'icebergs de différentes tailles. À l'horizon, on pouvait apercevoir une immense banquise de laquelle se détachait des blocs de glace percutant la mer avec fracas. Les survivants, transis par la nuit froide, gardaient silence dans leurs canots, accoudés les uns contre les autres dans une ultime tentative pour trouver un peu de chaleur.

Ann-Mary ne faisait pas exception à la règle. Emmurée dans un mutisme profond, elle entendit soudain une joie délirante provenant des autres embarcations. Quelle était donc la raison de ces éclats de voix ? Le jeune garçon, qui tout à l'heure dégobillait par-dessus bord, pointa du doigt entre deux icebergs et toutes les têtes se tournèrent dans cette direction.

« Un bateau ! Un bateau ! » s'exclama-t-il en apercevant les phares installés à la pointe des mâts. Ce n'était pas un mirage. Un navire de fort tonnage se dirigeait vers eux. Il suffirait de tenir le coup une heure ou deux encore et ils auraient tous la vie sauve. Incapable de manifester son émotion par des débordements de joie, Ann-Mary poussa néanmoins un grand soupir de soulagement. Quand la passagère assise à ses côtés la saisit par le cou, elle ne put s'empêcher de la serrer tendrement contre elle pour la réconforter et partager son enthousiasme. Leur étreinte dura un bon moment.

Ann-Mary reprit sa place sur la banquette et, levant les yeux, remarqua le regard d'Abraham posé sur elle. Il souriait du coin des lèvres comme s'il voulait de nouveau lui rappeler la présence de Dieu à leurs côtés.

Sa prière de tout à l'heure était-elle pour quelque chose dans l'apparition de ce bateau providentiel ? Elle ne voulait pas le croire et pourtant la coïncidence lui semblait tenir de l'intervention divine. Ces quelques heures passées dans un canot au beau milieu de l'Atlantique avaient provoqué chez cette femme frivole et superficielle un début de réflexion qui la mènerait, peut-être, à une prise de conscience plus profonde de l'existence de Dieu, de la futilité des biens matériels et de l'importance de se mettre au service des autres. Elle résolut, dès cet instant, de consacrer beaucoup de temps au cours des prochains mois à une sérieuse remise en question de ses valeurs.

Au cours de l'heure suivante, tous les équipages des canots déployèrent leurs dernières énergies pour s'approcher du bateau venu à leur rescousse. Quand il fut tout près d'eux, Ann-Mary put lire son nom peint en grosses lettres blanches sur sa coque : *Carpathia*.

Dès la réception du message de détresse du *Titanic*, le capitaine Rostron ordonna d'abandonner leur destination originale, la Méditerranée, pour se diriger vers le lieu du sinistre. L'urgence commandait de recourir à toute la puissance des moteurs du vieux bâtiment pour être sur place le plus rapidement possible. Au cours de la difficile navigation au milieu des glaces, les marins à bord organisèrent des dortoirs dans les salons, dans les fumoirs et les cabines restées libres. On prépara tout ce que l'on put de boissons chaudes, on réquisitionna toutes les couvertures disponibles et on répartit les tâches pour accueillir les naufragés.

Il était 6 heures 40 lorsque le canot à bord duquel se trouvait Ann-Mary et les soixante-huit autres passagers toujours vivants fut en position d'être récupéré. Un à un, ils mirent pied sur le pont du Carpathia où ils furent accueillis personnellement par le capitaine Rostron.

Abraham avait perdu beaucoup de force en raison de son grand âge et des efforts déployés pendant cette interminable nuit. Ann-Mary lui tendit une main secourable pour l'aider à débarquer du canot. Il lui fut reconnaissant de son précieux secours. Elle aussi eut de la difficulté à monter sur le pont. Ses membres étaient raides et ankylosés.

Lorsqu'ils furent enfin en lieu sûr, elle lui prit le bras et l'encouragea à marcher quelques pas encore pour s'asseoir sur une banquette qui ceinturait le pont. Elle remarqua avec inquiétude son visage blême, ses yeux vitreux et ses mains décharnées. Il tremblait de tout son corps. Malgré tout, il émanait de son regard une lueur, une force incroyable. Elle le couvrit avec soin d'une couverture de laine et, l'abandonnant seul sur son banc de bois, se dirigea rapidement vers le capitaine de bord.

« Capitaine, cet homme nous a été d'un grand secours lorsque nous étions en mer. Malgré son âge, il n'a pas cessé un seul instant de porter secours, de façon admirable, à tous ceux qui en avaient besoin. À présent, il a besoin de nous. Serait-il possible de le faire transporter au chaud dans une cabine pour qu'il puisse s'y reposer ?

– Madame, il y a ici sept cents personnes impatientes de dormir et de récupérer. Mon navire n'est pas fait pour en accueillir autant. Mais laissez-moi quelques minutes ; je vais m'informer auprès de mon second.

– Je vous remercie, capitaine. Mais, je vous en prie, faites vite ; sans soins, il ne pourra survivre bien longtemps. »

Ann-Mary retourna auprès d'Abraham. Il était en compagnie d'une dame d'une soixantaine d'années portant une somptueuse robe du soir maintenant sale et détrempée. Elle s'entretenait doucement avec le vieillard et tentait de l'encourager. Ann-Mary surprit leur conversation.

« Tout va bien aller maintenant, monsieur. Il faut avoir du courage. Dans quelques jours, nous serons à New York, le capitaine me l'a confirmé tout à l'heure.

– Tous les survivants du naufrage sont sains et saufs ; je peux mourir en paix. Allez, ne vous occupez pas de moi. D'autres ici ont besoin de votre encouragement. »

Ann-Mary s'interposa.

« Madame a raison : ce n'est pas le temps d'abandonner. À New York, vous aurez tous les soins nécessaires pour recouvrer la santé. Ne vous laissez pas aller. Vous aurez aussi une cabine très bientôt ; le capitaine s'en occupe. Vous pourrez dormir à votre aise et reprendre vos forces.

– Je n'ai plus besoin de cabine. Je remets mon âme entre les mains de Dieu pour qu'Il m'accueille dans la demeure éternelle.

– Je ne vous lâcherai pas ! Vous en avez trop fait pour les passagers du canot pour qu'on vous abandonne maintenant. »

Abraham avait fermé les yeux. Ses forces l'abandonnaient. Il semblait sur le point de trépasser quand deux marins s'approchèrent d'eux.

« Il y a une cabine à votre disposition, monsieur. Nous allons vous aider à vous y installer. Vous pouvez venir aussi, mesdames, il y a des lits pour au moins six personnes. »

Les deux hommes soulevèrent le vieillard et l'aidèrent à descendre au pont A où plusieurs cabines avaient été transformées en dortoirs collectifs. Dans celle qui leur était destinée, on avait installé trois lits superposés et il restait à peine assez d'espace pour se déplacer de l'un à l'autre. Les matelots retirèrent à Abraham ses vêtements trempés, l'étendirent sur un lit et le couvrirent de deux couvertures épaisses. Il s'endormit presque aussitôt.

Les deux dames s'assirent côte à côte sur le lit d'en face et commencèrent à se raconter leur nuit d'horreur. Ann-Mary apprit que Margaret Tobin Brown, affectueusement surnommée Molly par ses amis, avait pris place à bord du canot numéro 6 occupé par une vingtaine de personnes. Il aurait pourtant pu en recueillir plus de soixante. Dans le naufrage, elle avait perdu un collier d'une valeur inestimable et ne semblait même pas le regretter. Pendant la nuit, quand Robert Hichens, le maître de manœuvre, prit une étoile filante pour une fusée de détresse lancée par un bateau venu à leur rescousse, elle menaça de le jeter par-dessus bord et avait prit les commandes du canot. Elle ordonna aux femmes de ramer pour se réchauffer, leur sauvant ainsi la vie.

Elle apprit aussi que cette Américaine du Missouri consacrait tous ses temps libres à faire du bénévolat auprès des familles les plus pauvres de sa communauté. Sans pourtant en faire étalage, Molly avait dépensé une somme considérable de sa fortune personnelle pour acheter des vêtements et de la nourriture dans le seul but d'offrir des biens de première nécessité à ces démunis.

Au bout d'un moment, madame Brown décida de retourner sur le pont principal pour voir si elle ne pourrait pas y être de quelque secours. Ann-Mary s'étendit sur le lit mais ne réussit pas à dormir. Plongée dans une profonde réflexion, elle se dit qu'elle venait de faire une rencontre déterminante. Elle résolut d'imiter cette femme remarquable dès son retour en Angleterre.

Abraham remua sous les couvertures, attirant ainsi l'attention d'Ann-Mary. Il avait les yeux ouverts.

« Comment vous sentez-vous ? demanda-t-elle.

– Mon pauvre cœur est en train de flancher. Je me sens très faible ; je ne crois pas pouvoir survivre très longtemps.

– Allons, allons ! Ne dites pas de bêtises !

– Hélas ! Je ne crois pas que ce soit des bêtises.

– Accrochez-vous. Si vous le désirez, nous allons prier ensemble. Demandons à Dieu de vous aider.

– Dieu a toujours été avec moi. Le moment est venu pour moi d'aller Le rejoindre. Pourrais-je cependant vous demander un grand service avant de mourir ? »

Il sortit de sous les couvertures le fameux sac qu'il portait toujours en bandoulière et auquel il semblait tenir beaucoup. Il le tendit à Ann-Mary.

« Dans ce sac, il y a un précieux coffret. Je voulais le remettre à mon petit-fils avant de mourir. J'allais en Amérique pour le retrouver : il est sans doute à Montréal. Sa mère l'y a abandonné dans une crèche à l'âge de deux ans et je suis sans nouvelles de lui depuis des années.

– À Montréal ! Mon fils y demeure et il était dans mes intentions d'aller le visiter.

– Vous voyez bien qu'il n'y a pas de hasard. Pourriez-vous rechercher mon petit-fils pour moi et lui transmettre son héritage ? Ce serait me rendre un service inestimable.

– Nous irons ensemble dès notre arrivée à New York alors que vous aurez repris vos forces.

– Je ne me fais plus d'illusions, madame, je ne me rendrai pas vivant à New York. S'il vous plaît, prenez ce sac et faites tout en votre pouvoir pour retracer mon petit-fils. Il s'appelle Jacob. »

Sur ces mots, Abraham tendit les bras vers Ann-Mary. En acceptant la besace de toile encore humide, elle acceptait une mission de la plus haute importance. Rassuré, le vieillard lui fit un large sourire et ferma les yeux de nouveau. Elle déposa le sac à ses côtés et s'approcha de lui pour le réconforter. Lorsqu'elle posa sa main sur son épaule en guise de solidarité, elle entendit un faible gémissement. Se penchant sur lui, elle fut ébahie de constater que les rides profondes de son visage s'étaient visiblement atténuées. Il prononça quelques paroles dans une langue inconnue de Ann-Mary. Puis, une étrange lueur, comme une lampe intérieure, illumina son regard. Abraham, ce messager de paix et d'amour, venait de rendre l'âme.

Qui était donc Abraham ? un prophète ? un illuminé ? un grand initié ? Elle ne le saurait sans doute jamais. Ann-Mary lui caressa doucement le visage et s'adressa à lui comme s'il pouvait encore l'entendre.

« Dormez en paix, mon bon monsieur. Demandez à votre Dieu d'amour de m'aider dans mes recherches pour retrouver votre petit-fils. Faites-moi confiance, je m'occupe de tout. »

En retournant s'asseoir sur son lit, Ann-Mary accrocha le sac au passage. Il tomba par terre et un vieux coffret de bois en sortit. Au contact du sol, il s'ouvrit. Elle pensait y trouver des billets de banque, des pièces d'or ou des bijoux précieux. Rien de tout cela. Le coffret contenait quelques bouts de papier paraissant sans importance. Elle les ramassa un à un et lut les courtes phrases qu'on y avait écrites.

En un instant, elle comprit : toute la sagesse de ce personnage énigmatique s'expliquait par les messages inscrits sur les bouts de papier. Elle remit le tout dans le coffret, plaça celui-ci dans le sac et passa le cordon autour de son cou. Elle en prendrait soin comme de la prunelle de ses yeux, et le remettrait en temps et lieu à Jacob. Aurait-elle de la misère à le retrouver ?

* * *

MONTRÉAL, MARS 1998

La deuxième semaine au centre fut particulièrement difficile pour Barbara. Après l'essoufflant exercice d'écriture portant sur les ressentiments, elle se sentit tout à la fois soulagée et stressée. On lui avait appris à mettre un nom sur ses émotions. Pourquoi alors avait-elle l'impression d'être prise au piège ? Elle chercha et comprit tout à coup la raison de son malaise. Elle se partageait entre deux directions opposées. Il y avait toujours en elle ce profond désir de voir au bonheur des autres, mais il y avait également la nécessité de s'occuper d'elle-même. Contradictoire ? En creusant plus loin dans son for intérieur, elle réalisa avec déplaisir n'avoir pas réellement envie de prendre soin d'elle-même. *«On me dit de me dorloter, de me choyer, d'être bonne avec moi-même. Je veux bien mais.... comment faire ? Je ne connais même pas mes besoins profonds.»*

Barbara, incapable de fuir dans l'action ou le déni, fut obligée de se pencher de plus près sur le problème. Le défi était de taille pour elle. On lui demandait, à toutes fins utiles, de rejeter le système de valeurs qui guidait sa vie. Lise avait même fait un lapsus significatif en appelant cela un «système de malheurs». *«Moi, si bonne, si altruiste, si pleine de compassion, suis-je supposée devenir indifférente tout à coup aux problèmes d'autrui, devenir égoïste et voir à mon bien-être seulement ? Allons donc ! Comme si c'était possible. Robert a besoin de moi ; Justine ne peut se passer de moi. Ma mère... Tous ces gens malades...»* En typique dépendante affective, Barbara avait l'impression que la terre arrêterait de tourner si elle ne prenait pas tout sur ses épaules. Lise avait parlé d'orgueil démesuré... En était-ce de se croire indispensable ? Toujours obsédée par l'idée de contrôler sa vie, Barbara se demandait comment elle ferait pour ne pas se perdre de vue, en demeurant toujours tournée vers les autres. Elle voulait avancer mais ne lâchait pas prise, demeurant ancrée dans le passé. On ne peut aller dans deux directions opposées en même temps. Toutes ses énergies étant utilisées à se battre contre elle-même, elle ne pouvait bâtir sur du solide.

Lise ne s'en faisait pas avec tout cela. Elle le savait par expérience : pareille transition ne se fait pas en criant «ciseaux» ! Il fallait laisser sa pensionnaire s'habituer à la nouvelle réalité. Lui faire comprendre que «l'important d'abord, ce n'est pas l'important seulement». L'égoïsme sain, oui, pourquoi pas ? Ce n'est pas de l'égocentrisme, au contraire. Barbara, rétive au début, cheminait lentement mais sûrement. Elle se réveilla un beau matin détendue, soulagée. La nuit avait porté conseil. Elle commençait à comprendre. La seule voie de la libération passait par la prise en charge, complète et engagée, d'elle-même par elle-même.

Le dimanche suivant, Marie-Anne rendit visite à sa fille. À mi-chemin de la thérapie, les participants avaient le droit de recevoir une personne chère. Elle avait bien hâte de voir comment Barbara se portait. De son côté, cette dernière se demandait comment sa petite Justine allait. Sa mère lui donnerait des nouvelles fraîches. Elle avait également envie de parler de ses résolutions, de ses attitudes passées, de se confier, quoi ! La complicité étant bien établie entre elles, la journée serait sûrement fructueuse.

Barbara lisait dans le petit salon du rez-de-chaussée quand Marie-Anne arriva. Elle se lança vers sa mère pour la serrer tendrement dans ses bras. Cela surprit un peu Marie-Anne, sa fille étant habituellement plutôt réservée, pour ne pas dire froide. «*Tiens, tiens, elle commence enfin à exprimer ses sentiments. Cette retraite fermée lui a donc été bénéfique*», se dit-elle.

«Comment va ma petite Justine ? Je m'ennuie tellement d'elle.»

Barbara la rassura.

– C'est une charmante enfant que j'apprends à découvrir avec plaisir. Elle est très douée pour le dessin, tu sais. Lorsque je fais des courses, je l'emmène avec moi. Dimanche dernier, je lui ai offert le spectacle *Son et Brioches* à la Place des Arts. Elle a écouté attentivement tout le concert, sans broncher, pendant une bonne heure. Incroyable pour une petite fille de cet âge. J'ai été fascinée par sa capacité d'écoute. De plus, elle s'est fait de nouvelles amies.

– Des nouvelles amies... comment cela ?

– L'autre jour, elle jouait dans la cour et les enfants de la voisine, une femme charmante, sont venus jouer avec elle. Évidemment, je ne l'ai pas laissée seule avec eux et j'ai surveillé tout ce beau petit monde.

– Je m'en veux de t'imposer la corvée de surveiller une enfant si jeune. Ça ne te fatigue pas trop ?

– Je suis heureuse de pouvoir te rendre service et de prendre soin de ma petite-fille. Cela me rajeunit. Justine s'ennuie tout de même de toi, réclame son père, alors c'est important, je crois, de l'encadrer avec au moins un membre de la famille. Et puis... je ne suis tout de même pas si vieille que cela et j'ai encore assez d'énergie pour m'occuper d'elle. Ne t'en fais pas, ça va. Mais elle attend ton retour avec impatience. Bon, assez parlé de Justine. Et toi, comment te sens-tu ?

– Ça ne va pas encore bien, mais ça va mieux. La thérapie est difficile mais valorisante même si mon ego et mon image en ont pris un coup. Je commence à me retrouver. Tu as pourtant tenté de m'ouvrir les yeux mais je ne voulais rien voir. Maman, j'aimerais prendre un bon bol d'air frais. Allons faire une petite promenade ensemble si tu le veux bien. »

Aussitôt dit, aussitôt fait ! Après avoir enfilé bottes et manteaux, les deux sortirent bras dessus, bras dessous. Elles se retrouvèrent au bord de la rivière et s'installèrent sur un banc protégé du vent par d'imposantes épinettes heureusement épargnées par le verglas. Le coucher de soleil teintait la glace de la rivière d'une brillante couleur orange. On entendait le cri strident des geais bleus. Perdues dans la contemplation de toutes ces beautés, l'une et l'autre hésitaient à briser le silence. Après quelques minutes, Marie-Anne le rompit.

« Tu sais, je me suis posée pas mal de questions depuis ton arrivée ici. Je me demande jusqu'à quel point, je ne suis pas, en partie, la cause de tes problèmes. J'ai fait le bilan de mon rôle de mère et je ne suis pas certaine d'avoir été à la hauteur. Enfin... j'ai l'impression de t'avoir peut-être un peu négligée par moments, de n'en avoir pas assez fait pour toi.

– Maman ! Que vas-tu chercher là ? Évidemment, certaines choses m'ont déplu. Mais tu agissais pour mon bien et ça, je le comprends maintenant. À bien y penser, tu étais plus présente que beaucoup d'autres mères. Ainsi, je me rappelle, tu m'aidais à faire mes devoirs par exemple.

– Tu es bien gentille de me dire cela. Malgré tout, je ne puis m'empêcher de me sentir coupable. Si j'avais été là plus souvent...

– Oh non ! Pas la culpabilité... la maudite culpabilité ! Excuse mon écart de langage. Ça doit être mes mauvaises fréquentations. Blague à part, je viens d'apprendre cette semaine en lisant un livre oublié dans la salle de séjour que la culpabilité est un sentiment propre aux humains seulement. Les animaux ne portent jamais de jugement sur leurs pensées et leurs actes. Quand l'homme porte un jugement moral négatif sur lui-même, la culpabilité s'enracine dans sa conscience. Mais ce jugement est basé sur quels critères ? Ceux d'une société matérialiste, exigeante, dans laquelle on prône le perfectionnisme, l'excellence et la performance. Il faut être un « gagnant » à tout prix. Pas de place pour l'erreur.

– C'est normal, il me semble, de viser l'excellence.

– Oui, mais faut-il se taper sur la tête si on ne l'atteint pas ? Si nous étions moins accrochés aux résultats, ce serait peut-être moins stressant. Tout cela c'est de la nourriture pour l'ego. Je t'en supplie, maman, chasse ces pensées de ta vie. Tu n'es coupable de rien. J'ai compris des tas de choses cette semaine ; ainsi, ça m'a grandement soulagée de comprendre que j'avais le droit à l'imperfection. C'est correct de se tromper. J'irai même plus loin : l'erreur est utile. C'est grâce à elle que l'on découvre la bonne piste. L'échec n'est pas une fin mais un commencement. À cause de cette prise de conscience, je serai dorénavant moins exigeante avec Justine. C'est une forme subtile de cruauté mentale ou de chantage émotif que de mettre la barre trop haute avec les jeunes. S'ils n'y arrivent pas, ils se sentent dévalorisés, inadéquats, et ils manquent d'estime de soi. Ce ne sont tout de même pas des singes savants. Si on donnait aux enfants le droit à l'erreur, si on leur apprenait à gérer les défaites au lieu d'exiger la perfection, le taux de suicide serait sûrement moins élevé chez les adolescents au Québec. »

Marie-Anne n'en revenait pas de voir sa fille, si déprimée depuis plusieurs mois, devenue si volubile, si passionnée. Barbara se surprenait elle-même. Il n'y a pas si longtemps, elle aurait contredit ces énoncés. Elle-même se sentait tellement coupable de n'avoir pu empêcher Robert de prendre de la drogue, puis de rechuter. Sa conscience l'accusait sans cesse mais maintenant, elle la faisait taire.

« Tu as sûrement raison », renchérit Marie-Anne. « Je te comprends. Quelle culpabilité j'ai vécue quand ton père nous a quittées. Il m'aura fallu beaucoup de temps pour m'en remettre. Encore aujourd'hui, je me demande.... »

– Maman, il n'y a rien comme une bonne thérapie. Veux-tu une feuille d'inscription pour le centre ? »

Marie-Anne n'en croyait pas ses oreilles. Interloquée, elle regarda sa fille qui rigolait. Les deux s'esclaffèrent puis s'étreignirent longuement. De nouveau, seuls les cris des oiseaux brisaient le silence. La glace sur la rivière, devenue mauve comme le ciel, indiqua l'heure de rentrer. Sur le chemin menant à l'entrée principale, Marie-Anne demanda à sa fille :

« As-tu pensé à ton avenir en sortant d'ici ? Qu'as-tu l'intention de faire et en quoi puis-je t'être utile ?

– J'ai encore deux bonnes semaines pour y penser ; alors je ne me stresse pas avec cela. Je vis un jour à la fois. Il me faudra d'abord m'occuper de moi sans pour cela sacrifier Justine, sans l'obliger à se plier à tous mes caprices. Si je ne suis pas bonne pour moi, comment pourrais-je l'être pour elle ? Elle sera donc la première à bénéficier de mon nouveau mode de vie.

– Et ton mari dans tout cela ?

– J'ai l'intention de lui adresser un ultimatum. Ou bien il arrête de consommer, ou il s'en va vivre ailleurs. Nous pourrions nous voir quand même s'il fait preuve de bonne volonté. Sinon... ça me fendrait le cœur de le quitter mais c'est ma responsabilité de lui faire prendre conscience à quel point son comportement est en train de nous détruire Justine et moi. J'aimerais bien vivre encore avec lui mais seulement si ça va dans le sens d'une évolution saine et normale. Ce sera son choix. S'il veut se démolir, il le fera sans mon aide. De toute façon, il faudrait commencer par savoir où il est. Malgré tout, j'ai quand même décidé de me prendre en mains.

– Ça veut dire quoi te prendre en mains ?

– Lise m'a prévenue de prendre cela au compte-gouttes. Ne pas essayer de tout changer en même temps. Les petites choses surtout.... Faire de la culture physique tous les jours. J'avais laissé tomber. Au printemps, je vais ressortir ma bicyclette et y faire installer un siège pour Justine. Je vais donner à Robert, s'il le veut bien, certaines responsabilités ; il a à faire sa part lui aussi à la maison. Je vais mieux manger, me remettre à lire, à aller au théâtre ou au cinéma de temps en temps, avec toi par exemple. J'aimerais bien revoir mes amies. Je les ai presque toutes perdues de vue. On m'a également parlé de l'importance des petits luxes : un bon bain mousseux avec éclairage à la chandelle, en écoutant des airs romantiques exécutés à la guitare. Un bon massage, ça détend. Je veux également améliorer la qualité de ma vie spirituelle en faisant de la méditation. Un des thérapeutes m'a confié avoir évité de graves re-chutes dans la cocaïne grâce à cette pratique. Comme tu vois, j'ai du pain sur la planche. Tu seras fière de moi, tu ne me reconnaîtras plus.

– Ma chérie, j'ai toujours été fière de toi et suis au comble du bonheur de te voir dans ces heureuses dispositions. Ce séjour au centre a réellement été bénéfique pour toi. Je sens que la vie te réserve de bonnes et belles surprises. »

Ironie du sort, la vie réservait effectivement toute une surprise à Barbara, une surprise que personne n'aurait pu prévoir.

TROISIÈME PARTIE
L'ENVOL

Chapitre 9

LE PARDON

A nn-Mary songeait sérieusement à rendre visite à Harry, mais la guerre et ses nombreuses activités charitables l'empêchaient d'aller à Montréal, malgré l'insistance de son fils. Il lui écrivait tous les mois, et chaque fois il l'incitait à prendre le premier navire disponible pour venir se reposer chez lui durant quelques semaines.

Harry, grâce aux journaux anglais reçus avec quelques semaines de retard, était au courant de l'énergie déployée par sa mère pour venir en aide à de nombreuses familles pauvres. Beaucoup de femmes dont les maris et les fils avaient été mobilisés se retrouvaient dans la dèche. Ann-Mary avait créé des centres de secours où l'on offrait le gîte, la nourriture et les vêtements. Elle avait également réfléchi au problème de l'isolement et, pour le contrer, de grandes salles avaient été prévues pour que les gens puissent venir y passer de longues heures, échanger ainsi des nouvelles, et s'encourager mutuellement. Vraiment, la sexagénaire pensait à tout. Elle avait mis sur pied un système original de garderies, où l'on mettait à contribution les services d'adolescentes désœuvrées. Cette initiative permettait à certaines mères de famille de travailler ou tout au moins de prendre un petit moment de répit. Quand la situation l'exigeait, Ann-Mary faisait montre encore davantage de sa générosité en payant les honoraires des médecins à même sa fortune personnelle. Plusieurs venaient bénévolement aux centres de leur région; d'autres consentaient à soigner gratuitement les enfants à domicile quand les parents ne pouvaient se déplacer.

Le nom de cette bienfaitrice était sur toutes les lèvres, de Southampton à Londres. Les quotidiens consacraient de nombreux articles à cette œuvre remarquable. Harry découpait ces textes élogieux; il les montrait fièrement à ses étudiants, et à ses collègues professeurs de l'université McGill. Jamais il n'aurait osé en parler à quiconque, mais il ne reconnaissait cependant pas sa mère à lire les descriptions faites dans les journaux. «Maman était snob, autoritaire, critique envers tout le monde. Elle n'aurait jamais levé le petit doigt pour aider son prochain. Aurait-elle changé à ce point?»

Finalement, le jour tant attendu arriva. La guerre prit fin le 11 novembre 1918; les soldats rentraient au pays. En décembre, Ann-Mary écrivit à son fils pour lui annoncer son intention de prendre le premier bateau en partance pour Montréal au printemps. «*Quelle bonne nouvelle!*» si dit Harry, fou de joie. *Ma mère ne pouvait me faire un plus beau cadeau de Noël.* »

* * *

Malgré sa crainte de revivre l'horreur du *Titanic*, Ann-Mary s'embarqua au début du mois d'avril. Parti de Southampton, le navire fit escale à Halifax avant de monter le fleuve Saint-Laurent jusqu'au port de Montréal. Du pont supérieur du bateau, elle aperçut son fils, sa bru et leur fils John sur le quai, agitant les bras dans sa direction. Les retrouvailles furent chaleureuses, émouvantes et débordantes de joie. Harry se chargea de récupérer les valises de sa mère et les fit porter à sa voiture. Il voulait regagner Westmount le plus rapidement possible. Après une aussi longue traversée, sa mère voudrait sûrement se reposer.

Les premiers jours, Ann-Mary passa de longues heures en compagnie de sa bru; il s'agissait de reprendre contact. Lorsque son petit-fils, John, revenait de l'école, elle en profitait pour se rapprocher de lui. Solitaire de nature, Ann-Mary savait tout de même goûter les plaisirs de la vie familiale. Elle passa également de longues heures à lire et à feuilleter les journaux locaux. Cette grande voyageuse se faisait toujours un devoir de se mettre aux faits de l'activité économique et culturelle de la ville dans laquelle elle se trouvait. Un entrefilet dans le journal *Montreal Star* lui apprit que la tragédienne française, de réputation internationale, Sarah Bernhardt serait de passage au cours de l'été pour présenter *La Dame aux camélias*. Ne voulant pas rater cette occasion, elle pria son fils de se procurer des billets sans tarder. Harry, également passionné de théâtre, réserva des places le jour même.

Heureuse de retrouver son fils, Ann-Mary n'oubliait pas pour autant l'autre but de son voyage : tenir sa promesse faite à Abraham. Ne sachant trop par où commencer pour retrouver Jacob, elle décida d'éplucher le Bottin téléphonique de la ville pour y recenser les crèches existantes.

Déterminée à mener sa mission à bien, elle en visita même quelques-unes. Impossible d'obtenir les renseignements voulus. La présence des enfants dans les crèches était marquée du sceau de la confidentialité ; on ne donnait même pas le nom de la mère. Frustrée, elle rentra bredouille à la maison mais n'abandonna pas pour autant. Il lui restait une solution : faire appel à son fils. Après tout, il avait de nombreux contacts dans la communauté, en particulier dans le milieu médical.

Harry avait fait ses études à l'université de Southampton où il y avait obtenu un diplôme en médecine avec la mention «summa cum laude». Harry était incontestablement promis à un brillant avenir. Lorsque le recteur de l'université montréalaise l'invita à enseigner la médecine à McGill, il accepta sans hésiter. L'offre était intéressante et, comme il avait envie de voir du pays... Le corps médical reconnut rapidement sa compétence grâce à l'excellence de son enseignement et il se fixa ainsi à Montréal pour de bon.

Harry hésita quand Ann-Mary lui demanda de faire appel à ses confrères pour l'aider. Il savait à quel point la confidentialité est absolument primordiale dans ce milieu et il ne voulait surtout pas utiliser sa position privilégiée pour briser les règles. Mais sa mère, tout en reconnaissant le bien-fondé de ses objections, insista. Elle lui raconta en long et en large, l'histoire d'Abraham, cet étrange personnage rencontré lors de la tragédie du *Titanic*, et la promesse solennelle faite à ce dernier. C'était un devoir moral pour elle de remettre son héritage à Jacob et son fils se devait de l'aider.

«Je verrai si je peux faire quelque chose, mère», se contenta-t-il de répondre.

Il n'en parla plus. Déterminée, Ann-Mary continuait quand même ses recherches... sans succès.

Un soir pourtant, Harry revint de l'université le sourire aux lèvres.

« J'ai une excellente nouvelle pour vous », annonça-t-il à sa mère. « Je pense avoir retrouvé votre Jacob. Il est probablement à la crèche des Sœurs Grises à deux pas de l'université. Ne me demandez surtout pas comment je l'ai retrouvé. C'est un secret professionnel ! Si vous voulez, nous irons ensemble demain. Je connais bien le médecin attaché à cette institution. »

Ann-Mary sauta au cou de son fils en le remerciant à profusion. Elle était si fébrile, si énervée qu'elle n'en dormit pratiquement pas de la nuit. Au petit matin, après un petit-déjeuner frugal, elle annonça à un Harry encore à moitié endormi que le moment était venu de partir. Ann-Mary n'en pouvait plus d'attendre ; elle regardait l'horloge à toutes les trois minutes, mais il était beaucoup trop tôt et Harry dut faire patienter sa mère. Puis ils partirent enfin ; le cœur battant, la visiteuse arriva à la crèche. Y trouverait-elle Jacob ?

Son fils lui présenta le docteur Dugal. Après avoir consulté les dossiers, il confirma en effet qu'un garçon de 11 ans, prénommé Jacob, né d'une mère d'origine française, se trouvait bien parmi eux. Pour ce qui était du père, il ne possédait aucun renseignement, absolument rien. Par contre, la morphologie anatomique du jeune garçon donnait lieu de croire que Jacob était probablement d'origine juive. Il fut donné en adoption le jour même de sa naissance. Les religieuses ne comprenaient toujours pas pourquoi personne ne voulait adopter un petit garçon si docile et on ne peut plus agréable. Le bon docteur invita ses visiteurs à le suivre dans les jardins où les enfants jouaient et, d'un geste discret, leur indiqua lequel était Jacob.

Ann-Mary le regarda longuement, oubliant tous les autres orphelins. *« Cet enfant est charmant »*, songea-t-elle, *mais il y a de la tristesse dans son regard. Ce n'est pourtant pas étonnant, ce pauvre petit n'a pas de père ni de mère, il effectue peu de sorties, et il n'est pas sans éprouver un sentiment de rejet. Combien d'autres enfants a-t-il vu partir ? combien de ses petits amis se sont-ils faits adopter, le laissant seul derrière ? Personne n'a voulu de lui. Quelle tristesse !* » Elle en avait les larmes aux yeux.

Quand le docteur Dugal lui présenta Jacob, ce dernier la regarda d'un air un peu craintif. Ann-Mary le sentait vulnérable, comme une porcelaine fragile que le moindre choc pourrait briser. Elle le serra très fort dans ses bras. Avant de quitter les lieux, elle demanda à rencontrer la Mère supérieure. Sans aucune explication, elle lui remit la somme de deux cents dollars en se contentant de dire : « Pour vos bonnes œuvres, ma Mère ».

Sur le chemin du retour, Ann-Mary était songeuse. Elle fit part de ses préoccupations à son fils. « Je ne comprends pas pourquoi personne n'a voulu adopter ce garçon. Il a pourtant l'air intelligent. C'est crève-cœur de le voir dans cet orphelinat, car s'il n'a pas été adopté à cet âge, il ne le sera jamais, à moins d'un miracle... Si j'étais plus jeune, je l'adopterais moi-même.

– Inutile d'y penser, mère. Les religieuses s'occupent très bien de lui, vous n'avez pas de souci à vous faire. S'il s'agit bien du Jacob dont Abraham parlait, remettez-lui le fameux coffret, et ce sera la fin de cette histoire. »

Harry prêchait dans le désert. Ann-Mary était révoltée devant l'injustice du sort. Arrivée à la maison, elle parla de Jacob et de sa triste existence durant toute l'heure du souper, même chose dans les jours qui suivirent. Elle ne pouvait s'empêcher de faire un parallèle entre la vie de John, fils unique, choyé, vivant dans un véritable palais, assuré d'une existence agréable et douillette, à celle de Jacob, dépouillé, pauvre, sans espoir d'améliorer son sort. Elle en était tellement agaçante, qu'un soir, Harry lui demanda de parler d'autre chose. Ann-Mary se le tint pour dit, mais malgré tout, ses paroles poursuivirent leur petit bonhomme de chemin.

* * *

Quelques jours plus tard, au dîner, Harry et sa femme affichaient une mine plus réjouie qu'à l'habitude. Il se passait quelque chose, mais quoi ? Au moment du dessert, Harry s'adressa à sa mère :

« Mère, nous avons une grande nouvelle à vous apprendre. Fran-çoise et moi avons beaucoup pensé à ce petit garçon, ce Jacob dont vous ne cessez de parler. Je l'ai trouvé charmant moi aussi, en fait, depuis notre visite, je n'arrivais pas à oublier ses grands yeux tristes, cette image m'obsédait. Ma femme et moi avons toujours souhaité avoir une belle grande famille. Hélas, après avoir fait une fausse couche, Françoise n'a pu concevoir à nouveau. Nous nous étions résignés à ne plus avoir d'enfant mais, sans vous le dire, je l'ai emmenée voir Jacob à son tour. Ce fut un véritable coup de foudre. Alors, croyez-le ou non, après en avoir longuement discuté, nous avons décidé de l'adopter. Ce sera une bonne chose pour John qui n'a pas de compagnon de jeu à la maison. Nous vous remercions, mère, d'avoir attiré notre attention sur le sort de ce pauvre enfant. » Ann-Mary ne put refouler son émotion et versa des larmes de joie. Par une curieuse tournure des événements, elle deviendrait la grand-mère du petit-fils d'Abraham.

* * *

MONTRÉAL, MARS 1998

Depuis trois jours, la pluie ne cessait de tomber, c'est pourquoi Barbara sortirait du centre sous un ciel gris, après ces vingt-huit jours de réclusion. Mais peu lui importait au fond, car le soleil brillait dans son cœur. La dernière rencontre du matin se voulait l'occasion de faire le bilan final. Tous les participants étaient invités à s'exprimer sur les bienfaits de la thérapie et à faire part aux autres des résolutions prises. Lise, jugeant le moment venu de libérer ses pensionnaires, prit le temps de les mettre en garde face à la réalité qu'ils retrouveraient à l'extérieur.

« Ici, vous étiez pour ainsi dire comme dans un cocon, en sécurité, protégés de tout. Pas de responsabilités, pas de problèmes familiaux ou de travail. Vous avez vécu dans une bulle douillette ! Pas de téléphones sordides, pas de factures à payer, pas de contrariétés inévitables. Cela vous a permis de vous « brancher » de nouveau sur vous-même, sur vos besoins. Si je me fie à vos mines réjouies, ça va mieux. Rappelez-vous dans quel état vous étiez à votre arrivée ici. Démolis, en morceaux ! Nous avons tenté de vous remonter, de vous faire voir la vie d'un autre œil. C'est bien beau tout cela mais, à compter d'aujourd'hui, vous serez confrontés à la réalité, au quotidien.

« De plus, vous risquez de tomber brutalement en bas de votre beau petit nuage rose, car rien n'est changé à l'extérieur. Vos familles, vos connaissances, vos patrons, votre environnement seront les mêmes. Il sera facile de glisser dans vos anciennes habitudes. Soyez vigilants, sinon vous vous perdrez encore de vue. Servez-vous des outils que nous vous avons transmis et respectez vos objectifs. J'ai été très heureuse de vous connaître. Si vous avez des problèmes, n'oubliez pas, nous sommes toujours là pour vous aider. Bonne chance à tous ! »

Les participants hésitaient à se quitter. Le moment était pourtant venu de partir ; la belle complicité établie durant ce mois arrivait à son terme. Chacun devait de nouveau affronter son destin. Ils se levèrent l'un après l'autre, serrèrent des mains à la ronde, et promirent de se donner des nouvelles.

Dans le hall d'entrée, plusieurs parents et amis, les bras chargés de gerbes de fleurs, les larmes aux yeux, attendaient avec une vive émotion, qui un mari, qui une épouse, qui un ami. Ces retrouvailles furent l'occasion d'accolades chaleureuses, d'échanges de baisers passionnés.

Barbara ne voyait pas sa mère parmi le groupe, aussi s'inquiéta-t-elle de son retard. Lise s'approcha d'elle et lui dit doucement à l'oreille : « Suis-moi dans mon bureau, j'ai à te parler. »

Barbara réprima un mouvement d'impatience. Elle avait hâte de partir. C'était bien assez un mois ; tout avait été dit, mais où donc était sa mère ? En entrant dans le bureau de Lise, elle eut la surprise d'apercevoir Marie-Anne et Frédéric, assis tous deux sur des chaises droites. Frédéric tenait les mains de Marie-Anne dont le visage était tuméfié par les larmes. Elle sanglotait au moment où sa fille entra dans la pièce.

« Maman ? Ça ne va pas ? Il n'est rien arrivé à ma petite Justine, j'espère ? »

Marie-Anne était incapable de parler, aussi Lise prit-elle rapidement la parole pour rassurer Barbara.

« Assieds-toi d'abord, et rassure-toi , il n'est rien arrivé à Justine. Ta mère vient cependant de nous annoncer une bien mauvaise nouvelle. Il s'agit de Robert....

– Je le savais ! » s'écria Barbara. « Il a eu un accident ? Il est gravement blessé ? Non ! Il a vendu la maison en mon absence et il est parti avec tous les meubles.

– C'est pire », enchaîna Lise. Les policiers ont retrouvé sa voiture sur le bord d'un route secondaire dans le Nord. Après une longue recherche dans les environs, on a retrouvé son corps jeudi soir dans un boisé en montagne. L'autopsie est formelle : Robert est mort d'une surdose d'héroïne. Le décès remonte à plusieurs jours. »

Barbara, blanche comme un drap, ouvrit grand la bouche comme pour hurler mais pas un son n'en sortit. Marie-Anne la prit dans ses bras. Sa fille, muette d'horreur, demeurait sans réaction.

Discrètement, Lise et Frédéric sortirent. Marie-Anne était inquiète. Barbara ne réagissait toujours pas. Elle lui expliqua doucement les douloureux événements de la veille.

– On a retrouvé Robert assez tard jeudi. Comme ça ne répondait pas chez toi, les policiers ont réussi à entrer en contact avec moi ce matin. La nouvelle m'a terrassée. Je me demandais comment tu prendrais cela. Je te sais fragile, tu sors de thérapie... Tous tes beaux projets.... J'ai déposé Justine chez une amie fiable et je me suis précipitée ici. »

La mention du nom de sa petite fille, fit frémir Barbara. Enfin, elle réagissait. Un long cri de bête blessée annonça à sa mère que la douleur venait de la frapper en plein cœur.

« Robert est mort ? Non, ce n'est pas possible, je ne le crois pas. Je ne peux pas le croire, ce n'est pas vrai ! Je l'attendais avec amour, contente et confiante que, grâce à ma thérapie, nous pourrions parvenir à être enfin heureux ensemble. J'aurai donc fait toute cette démarche pour rien ?

– Non, ma fille, tu ne l'as pas fait pour rien. Tu l'as fait pour toi. N'oublie jamais ça ! Il te faudra beaucoup de courage mais tu es mieux équipée. Tu es forte, je le sais, tu vas passer au travers de cette épreuve : ta petite Justine a besoin de toi plus que jamais. Viens, rentrons à la maison. »

Livide, Barbara suivit docilement sa mère. Tête basse, elle marchait comme une automate. Lise et Frédéric n'en étaient pas moins bouleversés eux aussi, mais ils respectèrent leur douleur.

Dans la voiture, elles ne soufflèrent mot. Marie-Anne avait décidé d'amener sa fille chez elle. Pas question de la laisser seule. Arrivée à la maison, Barbara se réfugia dans la chambre d'invités et ferma la porte. « *Si seulement elle pouvait pleurer* », se dit Marie-Anne. Son vœu fut exaucé. Toute la nuit, Barbara sanglota mais sa mère, respectant son intimité, n'osa frapper à sa porte. Elle se contenta de pleurer elle aussi.

* * *

Le lendemain matin, Barbara, pâle et défaite, téléphona à Manon et lui demanda de l'accompagner à la morgue pour identifier Robert. Elle ne voulait pas imposer cette pénible tâche à sa mère. Hélas! c'était bien lui. Elle signa les papiers d'usage. Le policier l'avisa qu'elle pourrait récupérer le corps dès lundi. Il lui restait à faire les démarches habituelles auprès d'une entreprise funéraire.

Barbara décida, après discussion avec Marie-Anne et Manon, d'exposer le corps de Robert une seule journée; le cercueil resterait fermé. Il n'y aurait pas de service religieux à l'église; seulement quelques prières au salon mortuaire. Elle voulait limiter les manifestations de tristesse au minimum. L'après-midi même, son mari serait enterré au cimetière Notre-Dame-des-Neiges.

Et tout ce temps, malgré ces activités, Barbara se demandait avec angoisse quels mots elle emploierait pour prévenir sa petite fille. Pour le moment, Justine était bien à l'abri chez cette amie de sa mère, mais Barbara ne pourrait pas y échapper, il faudrait bien un jour qu'elle prévienne Justine du décès de son père.

« Maman, j'ai le cœur serré quand je pense à Justine. Comment lui dire? Devrait-elle venir au salon? au cimetière? Ou dois-je la tenir loin de tout cela quitte à tout lui expliquer par la suite? »

Marie-Anne croyait que la petite serait peut-être moins traumatisée si Barbara lui expliquait en tête-à-tête l'accident de son papa.. Elle pouvait bien sûr lui faire grâce des détails les plus sordides. Elle ne voyait aucun mal à ce pieux mensonge. Sa fille pourrait emmener Justine par la suite au cimetière pour déposer un bouquet de fleurs sur la tombe de Robert.

« Pour le moment, tu es trop fatiguée, trop émotive; tu risques de perturber Justine. Quand tu te seras un peu ressaisie, tu pourras mieux l'accompagner et la guider dans ce deuil que vous devez faire toutes les deux. »

Tout se déroula comme Barbara l'avait planifié. Peu de gens se présentèrent au salon mortuaire ; il n'y eut aucune crise de larmes. Tout compte fait, Robert n'avait plus vraiment d'amis.

Au cimetière, un prêtre invita les personnes présentes à réciter quelques prières devant le cercueil. Marie-Anne s'approcha de sa fille.

« Barbara, ton père est là. »

Barbara se retourna stupéfaite. Elle reconnut tout de suite son père, même s'il avait plutôt vieilli depuis toutes ces années. Ils tombèrent dans les bras l'un de l'autre en pleurant, sans dire un mot.

Marie-Anne, étonnée, regardait la scène. Elle n'avait pas revu son ex-mari depuis bien des années, depuis leur divorce en fait. Des images du passé lui revinrent à l'esprit. À l'époque, elle lui en avait tellement voulu de l'abandonner, seule avec sa fille, pour partir avec une femme plus jeune. Le jour même de son anniversaire, il s'était contenté de lui laisser une courte lettre d'adieu sur la table de la cuisine. Tout un cadeau ! Le contenu insistait sur le manque de communication dans leur relation. Une courte lettre en guise d'adieu, après plus de 20 ans, cela prouvait bien en effet le manque de communication ! Sa rage ! Sa peine ! Elle se secoua : « Tout cela, c'est du passé. Inutile de revenir en arrière. Autrefois, j'ai fait mon deuil, comme Barbara doit faire le sien aujourd'hui. Car la mort fait partie de la vie. Même Justine devra faire face à cette dure réalité. »

* * *

SEPTEMBRE 1919

Après avoir passé un délicieux été en compagnie de ses deux petits-fils, Ann-Mary crut le moment venu de rentrer chez elle. Mais elle voulait auparavant se rendre en train à Halifax pour aller se recueillir sur la tombe d'Abraham. De là, elle prendrait le dernier paquebot en partance pour l'Angleterre.

Abraham était inhumé au cimetière *Fairview* en compagnie d'une centaine d'autres passagers du *Titanic*. En effet, deux jours après le naufrage, trois navires furent envoyés dans la zone de l'hécatombe pour tenter de récupérer les cadavres. À lui seul, le *Mackay-Bennett* en repêcha cent quatre-vingt-dix sur un total de plus de trois cents. Deux semaines plus tard, « les navires de la mort » étaient de retour à Halifax. On fit sonner le tocsin et mettre les drapeaux en berne. Cent vingt et un corps non réclamés furent enterrés au cimetière *Fairview* en banlieue de la ville.

Harry comprenait le sentiment profond qui animait sa mère mais ne se résignait pas à la voir partir seule. Il décida plutôt que toute la famille l'accompagnerait ; le voyage de Montréal à Halifax se ferait en automobile. Depuis son arrivée à Montréal, il n'avait jamais visité les provinces atlantiques ; ce serait une excellente occasion pour tout le monde de découvrir ce coin de pays. John et Jacob étaient fous de joie à l'idée de l'expédition.

Ils partirent tôt le matin du 8 septembre et procédèrent par étapes. D'abord une halte à Québec puis à Rivière-du-Loup avant d'entreprendre la traversée de la région du Témiscouata pour arriver au Nouveau-Brunswick, puis en Nouvelle-Écosse. Le voyage dura dix jours et toute la famille trouva à se loger en cours de route dans des hôtels parfois minables et même dans un camp de bûcherons un soir. Malgré quelques disputes à certains moments, les deux garçons s'amusaient follement de ces aventures pour le moins déroutantes. De son côté, Ann-Mary, regrettait un peu de s'être laissée convaincre ; elle aurait voyagé plus confortablement en train. Ils arrivèrent finalement sains et saufs à Halifax, deux jours avant le départ du bateau.

* * *

Le lendemain de leur arrivée, ils se rendirent au cimetière *Fairview*. Au sommet d'une colline, derrière une affiche portant le nom du *Titanic*, ils découvrirent quatre rangées de tombes portant toutes la même date : le 15 avril 1912. Les noms inscrits sur les pierres reflétaient bien la diversité ethnique des victimes : Italo Donati, Gustaff Johannson, George Swane, Wendla Maria Heininen. Sur un monument en hauteur, on pouvait lire : « À la mémoire d'un enfant inconnu mort lors du désastre du *Titanic*». Ann-Mary se sentait tellement émue. Tous ces morts... vraiment , elle l'avait échappé belle.

En circulant entre les rangées, son attention fut soudainement attirée par un nom sur une épitaphe : Ernest Edward Samuel Freeman. Lisant l'inscription jusqu'au bas, elle fut surprise de retrouver la mention suivante : « Érigé par J. Bruce Ismay ». Bien sûr, ça lui revenait, Samuel Freeman était l'inséparable secrétaire du président de la *White Star*, celui-là même qu'elle avait enguirlandé. Elle se recueillit un bref moment.

John et Jacob avaient été chargés de retrouver la pierre tombale d'Abraham. C'est Jacob qui la découvrit le premier.

« Grand-maman ! Grand-maman ! J'ai trouvé grand-papa. Viens voir ! »

Ann-Mary se dirigea vers lui, suivie de Harry et de Françoise. John resta un peu à l'écart, déçu de s'être fait damer le pion par ce nouveau frère dont il n'appréciait pas trop la compagnie. Son père s'occupait moins de lui depuis l'arrivée de ce dernier dans la famille. Il s'approcha de Jacob et, hypocritement, lui donna un coup de pied. Ce dernier l'ignora mais se promit bien de se venger un jour ou l'autre. Faisant fi de ces chicanes de gamins, Ann-Mary se recueillit longuement sur la tombe du patriarche.

« Abraham, je suis tellement heureuse de vous avoir retrouvé. J'ai fait un long voyage pour arriver jusqu'ici. Je pense à vous tous les jours et vous remercie de tout que vous avez fait pour moi et pour votre petit-fils ; il est maintenant le mien également. Un jour, quand le moment sera propice, je lui remettrai le coffret. Il est encore trop jeune pour en comprendre la valeur. En attendant, je le garde précieusement. Au moins, il est dans la famille. Adieu, mon brave Abraham. Je vous embrasse de tout cœur. Où que vous soyez, priez pour moi... et pour Jacob.

Ann-Mary se retira. Son but était atteint. Elle pouvait maintenant rentrer chez elle.

* * *

MARS 1998

En quittant le cimetière, Marie-Anne proposa à Barbara et à Manon de venir prendre le café chez elle. Manon refusa, prétextant un travail urgent à remettre le lendemain. Discrète, elle voulait laisser la mère et la fille en tête-à-tête. Barbara, épuisée, accepta avec plaisir mais ne resterait pas longtemps. Elle avait hâte de se retrouver chez elle, seule enfin avec sa petite fille.

Marie-Anne lui proposa d'aller chercher Justine tout de suite. En apercevant sa mère, la petite lui sauta au cou. Le mois avait été long pour elle malgré les bontés de sa grand-mère. Avec l'inconscience propre à l'enfance, Justine ne remarqua pas le visage ravagé de sa mère, ni ses yeux rougis, camouflés par des lunettes noires.

Toutes les trois se retrouvèrent donc à Notre-Dame-de-Grâce en fin d'après-midi et s'installèrent à la table de la cuisine. Marie-Anne prépara le café et servit un verre de lait à la petite avec des biscuits pour la faire patienter en attendant le repas du soir.. Justine les dévora de bon appétit puis Barbara alla l'installer au salon devant le téléviseur.

Lorsqu'elle revint à la cuisine, le café était prêt. Elle y versa un nuage de crème et en but une première gorgée. Elle était soulagée d'en arriver à la fin de cette pénible journée. Malgré tout, l'angoisse l'habitait encore. Elle en fit part à sa mère.

«Je vais me retrouver seule, et pour longtemps. Je me demande comment je pourrai parvenir à oublier tout cela. J'ai encore l'impression d'être responsable de la mort de Bob! Je n'ai pas fait assez pour lui, il me semble. Je sais... ça n'est pas logique. Je vais m'empoisonner avec toute cette culpabilité. Mais ce n'est pas facile de changer une façon de penser. Il me faudra sans doute du temps.

– Oui, ma fille, du temps et beaucoup d'indulgence envers toi-même. Quand ton père nous a quittées...», elle hésita et se reprit : «quand ton père nous a quittées, moi aussi je me suis sentie responsable de l'échec de notre mariage. J'étais tellement enragée, tu ne peux savoir. Tu étais trop petite pour t'en apercevoir mais, chaque soir, je pleurais de rage et de désespoir.

– Je te comprends, je vis la même chose. J'en veux tellement à Robert. Je m'en veux.

– Ta réaction est normale. Tu es encore sous le choc. Quand tu auras pris un peu de recul, tu réaliseras beaucoup de choses. Ne t'en fais pas, l'acceptation viendra avec le pardon.

– Le pardon ? Que vient faire le pardon là-dedans ?

– Tu as encore beaucoup de chemin à faire dans cette voie difficile, la voie royale de la spiritualité. Pour assumer ton deuil, il te faudra apprendre le pardon, mais laisse-moi t'expliquer comment moi, je m'en suis sortie. Un jour, ce devait être deux ans plus tard, j'ai entendu parler d'un conférencier qui offrait un atelier d'un week-end sur le thème du pardon et du deuil. J'y suis allée. C'est à partir de ce moment-là seulement que j'ai commencé à comprendre ce qui se passait en moi. Ce fut le début de mon cheminement vers l'acceptation et la sérénité. On nous a remis une liste des étapes par lesquelles passait le deuil. Attends, j'ai encore cette liste dans ma chambre. Je vais aller te la chercher. »

Marie-Anne se dirigea vers sa chambre et en revint quelques minutes plus tard avec une feuille pliée en quatre qu'elle déposa devant sa fille. Barbara ouvrit la feuille et se mit à lire :

Les douze étapes du processus normal de deuil dans le pardon[1]

1– Décider de ne pas se venger et de faire cesser les gestes offensants.

2– Reconnaître sa blessure et sa pauvreté intérieure.

3– Partager sa blessure avec quelqu'un.

4– Bien définir sa perte pour en faire son deuil.

5– Accepter sa colère et son envie de se venger.

6– Se pardonner à soi-même.

7– Commencer à comprendre son offenseur.

8– Trouver le sens de sa blessure dans sa vie.

---

1.   Montbourquette, Jean. *Comment pardonner ?* Éditions Novalis/Centurion,1992.

9– Se savoir digne de pardon et déjà gracié.

10– Cesser de s'acharner à vouloir pardonner.

11– S'ouvrir à la grâce de pardonner.

12– Décider de mettre fin à la relation ou la renouveler.

Barbara ne saisissait pas le sens profond de toutes les étapes mais reconnaissait la pertinence de celles-ci. Elle replia la feuille et la glissa dans son sac posé sur la table. Elle la relirait plus tard à tête reposée. Elle y trouverait peut-être alors le sens caché du message.

Elle se leva, prête à partir.

« Il faut que je rentre chez moi maintenant. C'est assez pour aujourd'hui. »

* * *

Le soir même, quand Justine fut au lit, Barbara s'installa au salon et relut tranquillement, à tête reposée, le feuillet que sa mère lui avait donné. Elle prit tout son temps pour bien s'en imprégner.

Puis, elle alluma le téléviseur et tomba sur un vidéoclip de Céline Dion. C'était son dernier succès : *S'il suffisait d'aimer*. Elle écouta attentivement les paroles. À la toute fin, la chanson disait :

« Si l'on pouvait changer les choses et tout recommencer
S'il suffisait qu'on s'aime, s'il suffisait d'aimer
Nous ferions de ce rêve un monde
S'il suffisait d'aimer. »

Chapitre 10

L'ENGAGEMENT

MONTRÉAL, 1998-1999

A u lendemain de l'enterrement de Robert, Barbara se présenta à l'hôpital et demanda à rencontrer la directrice des ressources humaines. Son séjour au centre de thérapie avait complètement épuisé sa banque de journées de vacances et les cinq jours de congé auxquels elle avait droit à la suite du décès de son conjoint lui paraissaient insuffisants. Elle s'enquit donc de la possibilité d'obtenir une semaine supplémentaire de congé sans solde, pour se remettre de ses émotions. Étant donné les circonstances, la directrice la lui accorda même si le personnel infirmier était surchargé en cette période de compressions budgétaires.

Barbara rentra chez elle soulagée. Elle avait donc une dizaine de jours devant elle pour régler toutes ses affaires innombrables et complexes. Il lui fallait aviser le notaire pour l'exécution des mesures testamentaires, le directeur de la succursale bancaire pour l'hypothèque et les comptes personnels de Robert, l'agent d'assurance pour toucher la prime. Elle devait entrer en contact avec le Collège des médecins, annuler sa carte d'assurance-maladie et son permis de conduire, faire mettre à son nom tous les comptes concernant la maison.

Chaque jour, de nouvelles démarches devaient être entreprises. Il fallait rejoindre le bon fonctionnaire, remplir un nombre incalculable de formulaires, fournir le certificat de décès, etc. Tout cela lui apparaissait comme une montagne. Un ami avocat lui avait aimablement offert de s'occuper de tout mais elle avait refusé car elle tenait mordicus à entreprendre toutes les démarches elle-même. C'était la meilleure façon pour elle de faire son deuil, d'occuper ses moments de solitude, et de dresser en quelque sorte le bilan de sa vie.

Le plus difficile fut de faire disparaître toute trace de la présence de Robert de la maison. Elle se décida donc, ce samedi matin-là, à communiquer avec Julien, un bénévole à la Maison du Père, un centre pour sans-abri, et le pria de venir chercher au plus tôt tous les vêtements, les chaussures et les accessoires personnels de son mari. L'après-midi même, le grand ménage était fait. Julien repartit au bout de deux heures avec une camionnette chargée de boîtes remplies à ras bord. Elle se sentit à la fois soulagée et heureuse en pensant au bonheur des itinérants qui en profiteraient. *« La mort de Robert aura au moins servi à quelqu'un »*, se dit-elle.

Au cours de la semaine suivante, elle confia Justine à une voisine et se mit en frais de transformer la maison pièce par pièce. Pour l'aider, elle fit appel à Mathieu, un neveu de Manon, étudiant en première année de médecine. Ensemble, ils déplacèrent tous les meubles, changèrent les tableaux de place, du boudoir à la chambre à coucher, et du salon au passage. Ils remisèrent les classeurs du bureau au sous-sol après les avoir vidés et modifièrent la disposition des lieux. Barbara tenait absolument à vivre dans une maison à son image. Plus rien ne devait ressembler à hier.

Le travail terminé, elle offrit à Mathieu, en guise de rémunération pour sa peine, tous les livres de médecine que Robert avait accumulés au fil des années. Il y en avait sans doute pour plusieurs milliers de dollars. Gêné, le jeune homme commença par refuser la proposition, il trouvait ce geste insensé.

« Que veux-tu que je fasse de tout ça ? » insista Barbara devant son malaise. Si tu ne les prends pas, je mets tout à la récupération ! Allez, tu trouveras un tas de cartons vides au sous-sol. Ne dis pas non, ça me fait vraiment plaisir. »

Mathieu ne se fit pas prier plus longtemps. Au bout d'une demi-heure, la moitié des rayons de la bibliothèque étaient inoccupés et six lourdes boîtes étaient empilées près de la porte d'entrée. Barbara avait conservé seulement une encyclopédie médicale en dix volumes. Ça pouvait toujours servir.

« Va les porter dans mon auto, je vais aller te reconduire », proposa-t-elle.

– Ce n'est pas nécessaire, je vais appeler mon père. Il viendra me chercher.

– Ne le dérange pas pour si peu, de toute façon, je dois me rendre au supermarché et c'est tout près de chez toi. »

Mathieu ne savait plus très bien comment réagir. Non seulement elle lui donnait tous ces livres mais, en plus, elle voulait le ramener à la maison. Jamais personne n'avait été aussi généreux avec lui.

Arrivée devant chez lui, Barbara gara l'auto dans l'entrée. Mathieu s'empressa de décharger les boîtes sous l'œil incrédule de sa mère. Avant de rentrer la dernière, il s'approcha de la portière et, avec un large sourire, remercia Barbara une fois de plus.

« Si vous avez d'autres travaux à faire, ne vous gênez surtout pas, mais la prochaine fois je tiens à vous le dire tout de suite, ce sera gratuit. Merci, merci beaucoup. »

– Oublie ça, veux-tu, ce n'est rien, ça me fait vraiment plaisir de pouvoir t'aider. Au fait, docteur », ajouta-t-elle le plus sérieusement du monde, « si vous voulez une Mercedes, j'en ai une à vendre ! »

Et ils éclatèrent de rire.

Le lendemain, Barbara reçut un immense bouquet d'« oiseaux du paradis », ses fleurs préférées, avec une simple carte sur laquelle étaient écrits ces deux mots : « Merci, Mathieu ».

* * *

Comme on s'en doute bien, même si elle avait réaménagé la maison, Barbara connaissait malgré tout des moments difficiles. Le matin, au réveil, elle passait de longues minutes au lit à regretter l'absence de Robert à ses côtés. On ne perd pas ainsi un être cher sans revivre en pensées les bons et les mauvais souvenirs de cette union. Elle devait se secouer et se mettre à l'œuvre pour chasser de son esprit les traces du disparu.

Cette même douleur criante l'habitait après de départ de Mathieu. Heureusement pour elle, Justine occupait beaucoup de son temps. Il fallait lui préparer à manger, lui faire prendre un bain, jouer avec elle et lui raconter une histoire pour l'endormir.

Quand la petite était enfin au lit, Barbara se retrouvait seule et complètement désœuvrée dans sa grande maison. Elle en profitait pour téléphoner à sa mère ou, le plus souvent, à Manon, sa confidente de toujours. Elle passait de longues heures en conversation avec elle, n'hésitant pas à lui faire part de ses émotions et de ses peines. Manon l'écoutait avec patience, l'encourageait, lui proposait même de sortir pour se changer les idées. Barbara s'en sentait incapable. Même si la douleur était intense, elle voulait la vivre pour l'exorciser. Plus tard, peut-être...

Le vendredi précédant son retour au travail, elle reçut un coup de fil pour le moins inattendu. Nico était l'un des participants de la thérapie à la Villa Sainte-Marie. Ils s'étaient liés d'amitié au cours du mois et ils avaient échangé leurs numéros de téléphone en se promettant de se donner des nouvelles. Décidément, il ne perdait pas de temps, c'était le moins qu'on puisse dire.

«Comment se passe ton retour dans le monde réel?» lui demanda-t-il après les civilités d'usage.

– Plutôt difficilement», avoua-t-elle.

Et elle lui raconta le décès de Robert, l'enterrement et les démarches auxquelles elle avait dû s'astreindre.

«Je suis désolé pour toi, Barbara. Tu as toute ma sympathie. Tu n'avais vraiment pas besoin de tout cela, surtout à ce moment-ci. Tu tiens bien le coup?

– Ce n'est pas facile tous les jours, je l'avoue, mais parfois je me demande si ce n'était pas le meilleur moment. Au moins, je vais pouvoir recommencer à zéro pour vrai.»

Barbara fut surprise de cette réplique. Elle se confiait si ouvertement à un illustre inconnu. Même Manon n'était pas au courant de cette réaction. Nico fut touché de sa confiance et en profita pour faire un pas de plus.

« Ça te dirait d'aller prendre un café demain soir pour bavarder ? Ça nous ferait du bien à tous deux, il me semble. Comme je vis seul...

– Viens chez moi, si tu veux. J'ai fait garder Justine toute la semaine ; je ne veux pas l'abandonner un soir de plus. J'ai l'impression de l'avoir beaucoup trimballée depuis un mois.

– D'accord. Je suis vraiment heureux de cette invitation.

– Dans un sens, l'invitation vient de toi, je te ferai remarquer. Je suis vraiment contente de pouvoir te revoir. »

Elle lui donna son adresse et lui fixa rendez-vous vers 20 heures. Quand elle eut raccroché, elle commença à regretter son geste. Était-ce une bonne idée de l'inviter à la maison ? Trop tard pour faire marche arrière maintenant.

* * *

Nico se présenta à l'heure dite le lendemain, un bouquet de roses à la main. Barbara fut touchée de cette délicate attention. Elle chercha un vase, y mit les fleurs et le déposa au salon à côté du bouquet de Mathieu.

« Je ne suis pas le seul admirateur à ce que je vois », lança Nico en admirant les oiseaux du paradis.

– On ne m'a pas offert de fleurs depuis des années et j'en reçois deux bouquets le même jour ou presque. Je suis vraiment choyée. Merci Nico, tes roses sont magnifiques.

– Je n'ai malheureusement pas les moyens de « l'autre ». Il va me falloir d'autres atouts pour faire ta conquête. »

Aussitôt dites, Nico regretta ses paroles. Il se rendit vite compte de sa maladresse et fit immédiatement amende honorable.

« Excuse-moi. Cette blague était vraiment déplacée. Je ne voulais pas...

– Ne t'excuse pas. D'ailleurs, je connais bien les Italiens », répliqua-t-elle avec un sourire. « Ils sont charmeurs mais inoffensifs. Quant à l'autre bouquet, il vient d'un jeune étudiant à qui j'ai donné les livres de Robert. »

Ils s'installèrent au salon, lui dans un fauteuil, elle sur le divan. Ils parlèrent de leur ancienne vie, des raisons de leur présence au centre et des objectifs qu'ils s'étaient fixés.

Nico avait surconsommé de l'alcool jusqu'à l'âge de 30 ans, il n'y touchait plus depuis 10 ans. « Pourquoi as-tu fait cette thérapie alors ? » demanda Barbara. L'Italien lui expliqua la nécessité de se ressourcer périodiquement, question de faire le point sur son cheminement afin d'éviter d'éventuelles rechutes. Il se rappela encore son premier et douloureux séjour à la Villa, lequel coïncidait avec le départ de sa femme et de son fils, alors âgé de deux ans. Son frère l'avait fortement incité à suivre une cure, la seule façon selon lui de mettre un terme à sa dépendance. Quel beau cadeau il lui avait fait !

La conversation se poursuivit ainsi jusqu'à 23 h. Avant de se quitter, ils se promirent de se téléphoner, de se revoir et de poursuivre leurs échanges en toute amitié.

Nico téléphona trois fois au cours de la semaine suivante. Barbara lui parla des difficultés vécues à son retour au travail, de la douleur de se séparer de Justine chaque matin et, pire encore, de l'impression de vide ressentie chaque soir à son retour à la maison. L'Italien l'écoutait patiemment, l'encourageait et lui suggérait chaque fois une petite sortie pour se changer les idées. Barbara hésitait. Elle ne se sentait pas prête à établir une nouvelle relation avec un homme. Elle avait besoin de faire le point de façon définitive, d'apprivoiser sa solitude et de découvrir, en elle, un nouveau mode de vie. Pourtant ce Nico lui paraissait fort sympathique. De quoi avait-elle donc peur ?

Un soir, après l'appel de Nico, elle communiqua avec Manon et lui raconta son malaise face à l'insistance dont il faisait preuve. Manon sentit qu'elle n'était pas prête à s'engager mais ne voulut pas le lui dire aussi abruptement. C'était à elle, et à elle seule, de prendre la décision.

« Au cours de ta thérapie, on t'a sûrement conseillé de faire chaque jour une rétrospective de ta journée. Le fais-tu ?

– Je n'y ai pas manqué une seule journée depuis l'enterrement de Bob. Ça fait beaucoup de bien, je l'avoue. Mais je ne réussis pas à faire le point au sujet de Nico. Devrais-je accepter ses invitations ou lui demander de cesser de me téléphoner ? Je n'en sais rien. J'ai peur de m'attacher à lui. Je ne me sens pas prête.

– Fais le bilan des avantages et des inconvénients de cette éventuelle relation. C'est à toi de prendre la décision. Si ça ne te convient pas, n'hésite pas à lui en parler. L'authenticité est la meilleure carte à jouer. Il comprendra, j'en suis certaine, mais il te faudra être claire cependant pour ne pas lui donner de faux espoirs. Les trucs que tu as appris lors de ta thérapie devraient t'être utiles au moment où tu décideras d'agir et de passer à l'action. L'important dans ta vie, ce n'est pas la somme de tes connaissances et de tes expériences, mais bien ce que tu deviendras à travers celles-ci. Ton devenir t'appartient, Barbara. »

* * *

Barbara réfléchit longuement à sa conversation avec Manon. Elle tenta de faire le bilan suggéré, de soupeser les pour et les contre, et à vrai dire, cela s'équilibrait. Quand Nico lui téléphona au milieu de la semaine suivante, elle accepta son invitation pour une sortie le samedi soir.

Elle profita de leur rencontre pour lui faire part de son inconfort.

« Tu es gentil, je me sens bien avec toi mais... c'est trop tôt. Je ne me suis pas remise du décès de Bob, et je ne me sens pas prête pour une nouvelle relation. Ce serait inutile de te faire perdre ton temps. »

Manon avait eu raison une fois de plus : Nico comprenait très bien ses sentiments. Il lui promit de ne pas la rappeler. Ce serait à elle de faire les premiers pas.

Il n'eut pas à attendre longtemps. Le jeudi suivant, Barbara reçut deux billets pour un spectacle de danse présenté à la *Place des Arts* le lendemain et, après une courte hésitation, elle décida de l'inviter à l'accompagner. Nico jubilait. En fait, la danse ne l'intéressait pas vraiment, mais il se réjouissait davantage à la perspective de passer la soirée avec elle. Il était surtout heureux du fait qu'elle ait pensé à lui. Il voulut tirer profit au maximum de leur sortie et l'invita au restaurant. Barbara accepta ; Marie-Anne pourrait sûrement venir garder Justine.

Même si le spectacle était plutôt moche, leur tête-à-tête, pour compenser, fut somme toute des plus agréables. Une amitié véritable semblait s'établir entre eux. Cela leur plaisait à l'un comme à l'autre. Au cours des mois suivants, ils répétèrent l'expérience, en tout bien tout honneur. Ils étaient devenus de bons amis et n'en demandaient pas plus.

* * *

Lentement mais sûrement, Barbara se remettait des dures épreuves qu'elle avait vécues au cours de l'hiver. Comme prévu, elle s'était inscrite à des séances de conditionnement physique. Ça lui faisait un bien énorme. Elle avait acheté une nouvelle bicyclette, fait installer un siège d'enfant et partait souvent à l'aventure le dimanche après-midi. Parfois seule, parfois avec Justine, parfois avec Nico. Elle retrouvait la forme et se sentait de mieux en mieux.

Vers la fin de l'été, Nico risqua le grand coup. Il l'invita à passer tout un week-end à son chalet des Laurentides en compagnie de Justine. Son fils Paolo serait de la partie. Barbara hésita quelque peu au début, par pudeur mais, pour être tout à fait franche, cette perspective l'enchantait et elle finit par accepter l'invitation.

Ils partirent tous les quatre le vendredi soir et arrivèrent à Sainte-Lucie en fin de soirée. Justine dormait déjà et Paolo ne tarda pas à s'endormir à son tour. Barbara et Nico s'installèrent sur la véranda et discutèrent jusque tard dans la nuit en admirant le ciel étoilé.

Le lendemain, ils firent une longue promenade dans les environs, agrémentée d'un pique-nique, profitèrent de la plage tout l'après-midi, et ils préparèrent ensemble un repas à l'extérieur. Paolo demanda à son père la permission d'aller coucher sous la tente chez un ami. Il n'y fit aucune objection.

Lorsque le soleil disparut derrière les montagnes, Nico alluma un feu de camp et rapprocha deux longs bancs de bois pour qu'ils puissent tous en profiter. Justine s'endormit bien vite dans les bras de sa mère et elle alla la coucher dans le chalet tout près d'une fenêtre pour l'entendre si elle se réveillait. À son retour près du feu, elle délaissa son banc pour s'installer près de Nico.

« Tu te sens bien ? » demanda-t-il.

– Très bien ! Je n'ai pas veillé devant un feu de camp depuis bien longtemps. Ça me rappelle ma jeunesse. Nous allions au chalet de mon grand-père à Val-David et nous faisions cuire des guimauves dans le feu. Tu n'en as pas ?

– Non, j'ai complètement oublié d'en acheter.

– Ce n'est pas grave, nous nous reprendrons... la prochaine fois. »

Nico se rapprocha d'elle et passa son bras autour de son épaule. Il déposa un tendre et doux baiser sur sa joue.

« Moi aussi, je me sens bien, très bien même. Tu sais, ça fait des années que je n'ai pas amené de femmes ici.

– Menteur », répliqua-t-elle en se moquant.

– Je te le jure. Ça fait au moins cinq ans. La dernière fois, c'était...

– Tu n'as pas besoin de tout me raconter. Tu as droit à ton intimité.

– Je n'ai rien à te cacher. C'est une vieille histoire. »

Mais il n'en dit pas davantage. Cette nuit-là, ils firent l'amour pour la première fois.

* * *

Barbara se sentait de mieux en mieux dans sa nouvelle vie. Elle avait appris à accepter sa solitude, voyait Nico juste ce qu'il fallait et elle appréciait ses moments de complicité avec Justine. Seul son travail lui occasionnait des soucis. La tâche était exigeante, les patients de plus en plus nombreux, et le personnel restreint. Elle songeait à réorienter sa carrière, mais comment faire ?

À l'approche des fêtes, Nico lui proposa de célébrer la fin de l'année chez lui avec Justine et Paolo. Elle travaillait à Noël mais elle avait congé pour le Jour de l'an. Elle accepta. De toute façon, elle aurait été seule.

Ils échangèrent des cadeaux avant le repas. Justine reçut une poupée, une de plus, et un petit avion. Barbara offrit à Paolo un « cédérom » consacré à la vie au moyen âge, avec ses chevaliers et ses châteaux fabuleux. Et à Nico un coffret de disques de chansons napolitaines. Elle ne fut pas en reste de surprise. Quand elle ouvrit la petite boîte que Nico lui destinait, elle découvrit un magnifique bracelet en argent, une création originale qu'il avait sans doute acheté au *Salon des métiers d'art*. Folle de joie, elle lui sauta au cou et l'embrassa avec ferveur sous les regards ébahis des enfants.

Pour le repas, Nico fit faire valoir ses talents de cuisinier. Au cours de la journée, il avait passé de longues heures à préparer une soupe *stragiatella* et une lasagne typiquement italienne comme on n'en mange dans aucun restaurant de Montréal. Pour dessert, rien de compliqué. Il avait acheté un gâteau *Pannetone* dans une épicerie fine de son quartier et de la *gelato*, cette délicieuse crème glacée à l'italienne appréciée de tous.

Tout le monde se régala et Justine demanda même une deuxième portion de lasagne. Même s'il refusait toute boisson alcoolisée, Nico eut la délicatesse d'acheter, à l'intention de Barbara, une bouteille de vin rouge, un vin italien, il va sans dire. Elle voulut s'en priver mais il insista.

« Je te remercie de ta délicatesse, mais ne t'en fais pas pour moi, après tant d'années ça ne me fait plus rien de voir quelqu'un boire devant moi. Je ne serai pas tenté, sois-en sûre. »

Il déboucha la bouteille et la servit, se contentant de son traditionnel verre d'eau. Ils trinquèrent néanmoins à la nouvelle année en se souhaitant, aux uns comme aux autres, tout plein de bonnes choses. Justine insista, elle aussi, pour toquer son verre aux leurs. Ils se prêtèrent de bonne grâce à ce petit jeu dans un fou rire général.

À la fin du repas, Paolo se précipita dans le bureau de son père pour essayer au plus tôt le disque optique compact que Barbara lui avait offert. On l'entendait à tout moment pousser ses exclamations de joie chaque fois qu'il passait d'un tableau à un autre sur l'ordinateur. Barbara était heureuse d'avoir visé juste avec son cadeau.

De son côté, Justine dormait paisiblement dans son parc de bébé, installé au beau milieu du salon, serrant bien fort son petit avion. Barbara et Nico en profitèrent pour échanger une conversation animée et détendue en savourant un bon café espresso. Elle aimait ces rares moments de quiétude où ils pouvaient dialoguer. Entre eux, tout était vrai, tout était authentique : pas de jeux, pas de masques, pas de manipulations. Elle se rappela soudain une phrase de Colette Portelance[1], lue et notée au cours de sa thérapie : « Communiquer authentiquement, c'est donc être en relation avec quelqu'un d'autre que soi tout en restant en relation avec soi-même ». Avec Nico, elle sentait cette communication sincère.

Leur café terminé, ils demeurèrent silencieux pendant un petit moment, admirant le sapin illuminé. Puis, lui caressant langoureusement le cou, son compagnon romanesque lui offrit de passer cette première nuit de l'année chez lui. Tentée, elle hésita cependant. Risquait-elle de retomber dans sa dépendance affective ? Non, et c'était là la différence majeure qui démarquait sa relation avec Nico de celle qu'elle avait avec Robert. Pour tout dire, elle ne se perdait pas de vue quand elle était avec Nico. De plus, pourquoi ne profiterait-elle pas cette nuit d'un beau moment de joie sans engagement à long terme ? De toute façon, les règles étaient claires depuis longtemps, Barbara avait fait part à son amant de ses intentions, de son grand besoin de vivre seule, pour pouvoir prendre le temps de retrouver la maîtrise de sa vie : « Comment pourrais-je être bien avec toi si je n'apprends pas d'abord à être bien avec moi-même ? »

* * *

L'année 1999 fut une période de changements majeurs pour Barbara.

La profonde blessure laissée par le décès de Robert se cicatrisait un peu plus chaque jour. Elle assumait de mieux en mieux sa solitude et profitait pleinement de tous les petits bonheurs du quotidien.

En mars, Nico et elle convinrent d'aller passer cinq jours à New York à l'occasion de Pâques. Il offrit de faire les réservations d'avion et

---

1. Portelance, Colette. *La Communication authentique*. Les Éditions du CRAM, 1994.

d'hôtel. De son côté, elle pourrait faire des démarches pour obtenir des billets afin d'assister à une soirée au *Metropolitan Opera* et à une pièce de théâtre de son choix.

Ils eurent un séjour des plus agréables, arpentant Broadway et la 5ᵉ avenue, dînant dans des restaurants français et visitant les boutiques à la mode sans toutefois rien acheter. Le taux de change ne permettait pas d'extravagances.

Barbara aimait la complicité qui s'était établie entre eux mais elle crut percevoir chez Nico le besoin d'approfondir davantage leur relation. «S'il n'en tenait qu'à lui», avait-elle dit un jour à Manon, nous serions installés dans la même maison depuis longtemps déjà.» Mais elle n'était tout simplement pas encore prête.

Dans l'avion qui les ramenait du *Big Apple*, Barbara en profita pour faire une mise au point.

«Tu sais, Nico, j'ai passé cinq jours extraordinaires. Je peux même t'avouer que je n'ai jamais rien vécu de semblable avec Bob, sauf peut-être dans les premières années de notre union.

– Moi aussi j'ai...

– Je t'en prie, laisse-moi poursuivre. Ce que je veux te dire n'est pas facile... Nous nous connaissons depuis un an maintenant et j'ai beaucoup de plaisir à sortir avec toi, mais...

– Mais quoi, Barbara?

– Eh bien, je pense que nous devrions cesser de nous voir; du moins pour un certain temps. Notre relation a évolué beaucoup trop vite pour moi et je ne crois pas pouvoir combler tes attentes pour l'instant. Je sens bien ton besoin de te rapprocher davantage, et je le trouve tout à fait légitime, mais encore une fois je ne me sens pas prête. Je ne suis pas rendue là. Je souhaiterais faire une pause, et qui sait, peut-être repartir sur des bases nouvelles dans quelques mois. Je veux bien rester liée à toi, mais je ne souhaite guère poursuivre une relation affective aussi engagée. J'ai encore des choses à découvrir, à apprendre par moi-même, et je tiens à le faire de façon autonome.»

Nico était estomaqué. Jamais il n'aurait cru que Barbara puisse ainsi revenir en arrière. Il garda le silence puis rendit les armes.

« Puisque ta décision est prise, je n'essaierai pas de te faire changer d'avis. Je ne te cacherai pas cependant que ça me fait de la peine, mais ne t'inquiète pas, je vais cependant respecter ton choix. Quand tu dis quelques mois, tu penses à quoi ?

– Laissons passer l'été, si tu veux.

– D'accord, j'attendrai ton appel avec impatience.

– Je regrette de te décevoir ainsi.

– Tu ne me déçois pas, tu... »

Nico ne savait plus quoi dire. Il préféra donc s'enfermer dans un mutisme profond.

De Dorval, ils prirent un taxi qui les mena d'abord chez elle. Arrivés à la maison, il l'embrassa sur les deux joues, comme une amie.

« Je serai toujours là pour toi. Donne-moi de tes nouvelles quand bon te semblera. À bientôt, j'espère », se contenta-t-il de dire en guise d'au revoir.

* * *

Sans en faire part à qui que ce soit, pas plus à sa mère qu'à Manon, Barbara passa tout l'été à se documenter sur les possibilités de lancer sa propre entreprise. Elle ne pouvait supporter davantage la « médecine de corridor » et sentait le besoin de relever de nouveaux défis. Elle prit donc le temps d'analyser la situation de long en large, de rencontrer des dirigeants de PME pour prendre conseil, et de lire tous les magazines consacrés aux travailleurs autonomes qui lui tombaient sous la main. Lentement, l'idée faisait son chemin. À la fin de l'été, sa décision était prise : elle devait faire le grand saut. D'ici la fin de l'année, elle aurait donné sa démission.

* * *

Au début du mois de septembre, elle téléphona à Nico pour l'inviter à la rencontrer dans un petit restaurant du centre-ville. Il fut surpris d'avoir enfin de ses nouvelles.

Ce soir-là, la conversation démarra dans une atmosphère un peu trouble. En fait, Nico ne savait à quoi s'attendre. Elle avait pris le temps de réfléchir à sa situation et à une éventuelle reprise de leur relation. D'entrée de jeu, Barbara décida de clarifier les choses.

« Nico, je veux te dire combien je tiens à ton amitié. Nous avons établi une belle complicité ; j'aimerais conserver ce type de relation avec toi. »

Nico s'attendait à plus mais accepta tout de même le compromis proposé. *« Donnons le temps au temps »*, se dit-il intérieurement.

* * *

Vers la fin de l'année, Barbara décida d'organiser une fête toute spéciale chez elle pour souligner dignement l'arrivée de l'an 2000. Elle y invita sa mère, bien sûr, Manon, Nico et son fils, et quelques amis.

Sur le coup de minuit, on déboucha le champagne pour trinquer à la nouvelle année, les premières minutes de ce vingt et unième siècle. Après les embrassades, les accolades, les échanges de vœux tradition-nels, Barbara demanda l'attention de tous.

« J'ai une nouvelle à vous annoncer, une grande nouvelle, du moins pour moi. La semaine dernière, j'ai remis ma démission à l'hôpital. »

Tout le monde avait les yeux tournés vers elle. Personne n'en re-venait et ils attendaient la suite avec impatience.

« J'ai décidé de me lancer en affaires. Je vais créer ma propre en-treprise de soins à domicile. Je travaille sur ce projet depuis quelques mois et je suis convaincue de pouvoir me tailler une place. Le pire échec serait de ne pas essayer. Voilà ce que je tenais à vous dire. Sur ce, bonne année à tous ! »

Marie-Anne se précipita vers elle pour la féliciter malgré ce fond d'inquiétude qui la tourmentait. Manon, Nico et les autres en firent autant. De nouveaux bouchons de champagne sautèrent pour souligner la bonne nouvelle.

Chapitre 11

LA PEUR DU SUCCÈS

MONTRÉAL, MAI 2003

Il était trois heures ce samedi après-midi lorsqu'une longue limousine blanche stationna devant la maison de Barbara. Les voisins, occupés à planter des fleurs ou à nettoyer leur pelouse par cette journée idéale, levèrent les yeux se demandant bien ce qui pouvait justifier cette apparition inattendue. Tous les enfants du voisinage entourèrent la voiture, poussant des oh! et des ah! incrédules. Le chauffeur, vêtu d'un élégant costume marine, en sortit en ajustant sa casquette et se dirigea vers l'entrée. Il eut à peine le temps de sonner que Barbara lui ouvrait, informée de son arrivée par une Justine impatiente après une heure d'attente à la fenêtre du salon. Il s'empara des deux valises posées dans l'entrée, alla les déposer dans le coffre et revint prendre la longue enveloppe de cuir contenant les robes du soir de ses passagères.

Accompagnée de Claudia, sa gardienne, Justine sortit en courant et se précipita vers la limousine. Elle salua quelques amis avant de s'y engouffrer. Barbara, vêtue d'un tailleur beige du plus grand chic, les rejoignit aussitôt d'un pas détendu.

« Nous allons directement au Ritz, madame ? » demanda le chauffeur.

– Non, nous devons passer prendre ma mère auparavant. »

Elle lui indiqua l'adresse et prit place sur le siège arrière. Justine, très excitée avait déjà essayé chacune des banquettes, ouvert le téléviseur et jeté un coup d'œil au cabinet contenant d'innombrables bouteilles de boisson.

La voiture démarra sous les regards curieux des voisins ; ils semblaient former une garde d'honneur à son intention. Lorsque l'imposante voiture disparut en tournant le coin de la rue, chacun se remit à ses travaux.

* * *

Barbara regardait défiler les rangées de maisons du quartier à travers les vitres teintées de la limousine. Que de chemin parcouru depuis sa thérapie! Elle songea aux deux années pénibles qui avaient suivi la disparition de Robert, à ce début de liaison avec Nico, une histoire du passé. L'amour? Plus tard peut-être, au moment propice. En attendant, elle avait réussi à apprivoiser sa solitude, à en tirer profit en mettant son entreprise sur pied. Cela n'avait pas été facile.

Au début, elle avait dû négocier fermement chaque contrat et engager des infirmières et des aides familiales sur une base occasionnelle. Peu à peu, grâce à son grand professionnalisme et à son assurance, elle avait réussi à se faire un nom dans ce milieu de concurrence farouche. Après trois ans d'un labeur acharné, aidée d'une adjointe très efficace, soutenue par une équipe d'infirmières triées sur le volet, on allait reconnaître sa détermination et fêter sa réussite.

Barbara se réjouissait surtout de ne pas avoir négligé Justine au fil de ces années. Cela aurait pourtant été compréhensible avec un emploi du temps trop surchargé. Mais elle se faisait un point d'honneur de quitter le bureau chaque jour à 17 heures pour passer la prendre au service de garde de l'école. Elle lui consacrait ses soirées et ses week-ends pour lui faire profiter d'une vie familiale divertissante. S'il y avait un contrat à rédiger, une réunion à préparer ou de la comptabilité à faire, elle attendait toujours que sa fille soit couchée avant de se mettre à l'ouvrage. C'était d'ailleurs exceptionnel. Elle avait voulu faire en sorte de laisser au bureau ses préoccupations professionnelles. À de rares exceptions près, après 17 heures, sa vie lui appartenait.

Elle s'était remise à la lecture, poursuivait son entraînement physique, s'était inscrite à des séances de taï-chi et avait appris à faire de la méditation. Chaque matin, elle se levait avant Justine pour faire ses exercices et, chaque soir, elle s'installait au salon sous un éclairage tamisé pour effectuer un retour sur elle-même et faire le bilan de sa journée. Ces deux moments lui étaient précieux et, pour rien au monde, elle ne les aurait sacrifiés. Malgré ses responsabilités, elle se sentait détendue, heureuse et épanouie.

La Chambre de commerce voulait souligner sa réussite profession-nelle en la nommant « Femme de l'année à Montréal ». Tant mieux ! Mais pour elle la véritable victoire résidait dans l'équilibre atteint entre sa vie professionnelle et sa vie personnelle. Elle n'avait pas perdu de vue ses valeurs profondes.

* * *

Lorsque la limousine arriva à Westmount, Marie-Anne vivant maintenant avec son père faisait le guet à sa fenêtre. Le chauffeur n'eut même pas besoin d'aller la chercher. Elle arrivait d'un pas rapide, sa valise à la main.

Elle s'installa sur la large banquette arrière, bien décidée à jouir du rare privilège de se promener dans une voiture aussi élégante.

Une quinzaine de minutes plus tard, elles arrivaient au Ritz. Le portier vint leur ouvrir tandis qu'un préposé aux bagages chargeait sur un chariot les valises des passagères. Sans plus attendre, on les conduisit vers la suite réservée à leur intention par les responsables de la Chambre de commerce. Elle était constituée de trois pièces immenses, au décor luxueux, habituellement destinées aux invités de marque.

Justine explora avec ravissement tous les recoins de la suite. Il y avait là deux chambres, l'une avec un très grand lit, un coin salle à manger et un salon ; l'autre chambre comptait deux lits de dimensions plus modestes. Quand elle ouvrit la porte de la salle de bains, Justine ne put retenir ses cris de joie : « Wow ! » s'exclama-t-elle en apercevant la magnifique baignoire de marbre, les trois lavabos avec leur robinetterie en or et l'immense miroir faisant office de mur. Elle vint chercher Claudia pour lui faire partager sa découverte. La gardienne n'en était pas moins impressionnée. Issue d'un milieu plutôt modeste, Claudia se retrouvait pour la première fois dans un hôtel et, qui plus est, dans la suite très luxueuse d'un très prestigieux établissement de Montréal. Elle n'osait toucher à rien et n'avait pas les yeux assez grands pour tout voir.

Justine revint en courant vers le salon et, comme d'habitude, alluma le téléviseur grand écran en s'emparant de la télécommande. Confortablement installée dans un divan moelleux, elle «zappa» d'une chaîne de télévision à l'autre à la recherche d'émissions différentes de chez elle.

Pendant ce temps, Marie-Anne et Barbara défaisaient les valises, rangeant au fur et à mesure les robes du soir. Quand elles eurent terminé, Barbara regarda sa montre et jugea le temps venu de se préparer.

« Bon, les filles, il faut vous changer pour le souper. Au fait, on dit "dîner" dans un grand hôtel. »

Claudia obéit illico et alla chercher dans le placard la robe de soie bleue louée par Barbara à son intention. La jeune fille avait bien hâte de la revêtir et de pouvoir s'admirer dans le miroir. Elle s'enferma dans la salle de bains et en ressortit, cinq minutes plus tard, le sourire aux lèvres. Elle était méconnaissable. Marie-Anne et sa fille s'exclamèrent devant tant d'élégance. Barbara ne put s'empêcher de passer un commentaire.

« Je vais avoir de la difficulté à rivaliser avec toi, Claudia. Ne sois pas surprise si tous les hommes se retournent sur ton passage. Tu es très belle. Viens, je vais te coiffer. »

Toute rougissante, Claudia s'approcha et Barbara défit la boucle retenant ses cheveux attachés. Quand la longue chevelure déferla sur ses épaules partiellement dénudées, elle parut plus resplendissante encore.

La transformation miraculeuse de sa gardienne incita Justine à délaisser le téléviseur pour se changer à son tour. Barbara avait choisi pour sa fille une robe rouge pour cette soirée toute spéciale. Sa première robe longue dont la coupe la faisait paraître deux ou trois ans plus vieille que son âge. Lorsqu'elle l'eut enfilée, elle s'amusa à tournoyer au milieu de la chambre comme si un prince charmant l'avait invitée à danser. Barbara eu un léger choc de la voir ainsi vêtue : «*Mon Dieu, comme le temps passe vite*», se dit-elle en l'admirant.

Pendant ce temps, Marie-Anne s'était retirée dans la chambre contiguë et apparut bientôt vêtue d'une robe fleurie aux couleurs chatoyantes. Barbara ne cacha pas sa surprise.

« Tu es très chic, maman.

– Ce n'est pas tous les jours que ma fille m'amène au Ritz. Je tenais à te faire honneur.

– C'est réussi ! Ta robe te va très bien. Je serai fière d'être à tes côtés. À mon tour maintenant de me préparer et nous descendons. »

* * *

Une heure plus tard, quatre dames d'une rare élégance faisaient une entrée fort remarquée dans la grande salle de bal. Tous les yeux se tournèrent vers elles. D'un côté, Marie-Anne le port altier, regardait à gauche et à droite dans l'espoir de reconnaître quelqu'un. De l'autre, la jolie Claudia, un peu gênée de se retrouver au milieu d'une faune à laquelle elle n'était pas habituée. Entre les deux, Justine, mignonne mais inconfortable dans ces atours inhabituels, tenait la main de sa mère. Mais les regards convergeaient surtout vers Barbara. Pour l'occasion, elle s'était achetée, à la boutique d'un jeune couturier québécois une robe fourreau noire, au décolleté plongeant, mettant en évidence chaque courbe de son corps. Aucune des femmes présentes, certaines pourtant beaucoup plus riches qu'elle, n'était habillée avec autant de bon goût.

Un garçon, ganté de blanc, leur présenta des coupes de champagne dès leur entrée. Le président de la Chambre de commerce, reconnais-sant immédiatement son invitée d'honneur, s'avança pour lui souhaiter la bienvenue. Barbara lui présenta sa mère, sa fille et Claudia, puis ils se dirigèrent tous ensemble vers la table principale installée sur l'estrade. Elles eurent droit, évidemment, à un repas gastronomique de très grande classe.

* * *

Au café, le président s'approcha du micro. Le moment tant attendu était enfin arrivé.

« Mesdames et messieurs, il est impossible d'engendrer une société valable et encore moins une société noble à moins de savoir non seu-lement honorer mais encourager la réussite personnelle et l'excellence. Ce soir, nous sommes bien servis. Il y a trois ans, une infirmière dévouée, veuve et mère d'une charmante enfant, décidait d'abandonner son poste pour se lancer dans l'aventure des soins à domicile. Le défi était de taille. Il comportait des embûches certaines. Mais on ne réalise jamais son rêve sans affronter de difficultés. Barbara y a mis le temps et l'énergie nécessaires sans négliger pour autant sa vie familiale et personnelle. Cependant, au-delà de cette réussite d'entreprise, nous voulons souligner ce soir tout le bien qu'elle fait autour d'elle dans ce monde axé sur la vitesse et la technologie. Barbara croit aux valeurs humaines et c'est cela qui la guide dans toutes ses actions. Elle devrait être, pour chacun de nous, l'exemple de la patience, de la détermination et de la réussite.

« Mesdames et messieurs, je suis heureux de décerner à Barbara, le titre de Femme d'affaires de l'année 2003. »

Une salve d'applaudissements éclata. Émue, la lauréate se leva pour recevoir son prix. Le président lui remit une plaque commémorative sur laquelle apparaissaient, en lettres d'or, son nom et son titre. Les photographes s'approchèrent de l'estrade et la mitraillèrent de flashs nourris pendant de longues secondes. Justine était impressionnée par ce déferlement de lumières scintillantes. Elle le fut encore plus lorsqu'un jeune photographe lui demanda d'aller prendre place entre sa mère et le président pour les photos.

Cette première séance terminée, la vice-présidente de la Chambre s'empara à son tour du micro pour la remise d'un autre prix, inattendu celui-là.

« Mesdames et messieurs, au nom du conseil d'administration de la Chambre de commerce de Montréal et de tous ses membres, il me fait plaisir de remettre à Barbara deux billets d'avion à destination du Mexique ainsi qu'un chèque de 3 000 $ pour couvrir ses dépenses personnelles durant ce voyage. Félicitations, madame ! »

Nouvelle salve d'applaudissements. Nouvelle séance de photos. Arriva le moment redouté, celui de sa propre allocution. Elle s'approcha du micro et sortit de son sac à main une feuille pliée en deux qu'elle déposa sur le lutrin.

« Monsieur le président, madame la vice-présidente, mesdames et messieurs. L'écrivain français Alexandre Jardin a écrit cette très belle phrase que je me permets de faire mienne : "Il n'est pas de destin fécond qui ne s'écarte des voies trop balisées et l'on ne trouve son propre chemin qu'en cessant d'y résister." Bien avant de lire son roman[1], cette façon de voir le monde et la vie était, j'en suis sûre, profondément ancrée en moi. Il m'aura fallu plusieurs années avant de m'écarter moi-même de ces "voies trop balisées" En 1999, j'ai décidé de faire le grand saut et de me lancer dans cette merveilleuse aventure. Ce fut la meilleure décision de toute ma vie. Monsieur le président a souligné tout à l'heure les valeurs humaines auxquelles je croyais et auxquelles je crois toujours d'ailleurs, et il avait parfaitement raison. On ne peut être heureux sans semer de bonheur autour de soi. Oui, nos semblables ont besoin d'attention, de réconfort. Il appartient à chacun de nous de contribuer au bien commun de tous. J'accepte avec fierté l'honneur que vous me faites ce soir mais je tiens à le partager avec toute mon équipe. Sans tous ces précieux collaborateurs, je ne serais jamais passée à travers ce grand défi. Je tiens également à remercier ma mère, Marie-Anne, pour son soutien et sa compréhension, ma fille Justine, pour sa patience à mon égard dans les moments difficiles. L'un des deux billets pour le Mexique lui est d'ailleurs réservé. Je ne saurais voyager avec meilleure compagne. Je vous remercie et vous souhaite une belle fin de soirée. »

Tous les regards se tournèrent vers Justine. Son petit cri, quand sa mère annonça son désir de l'emmener au Mexique avait attiré l'attention. Gênée, elle aurait voulu se cacher sous la grande nappe recouvrant la table. Pour la réconforter, Marie-Anne posa sa main autour de ses épaules et l'embrassa tendrement.

Après le dîner d'apparat, Claudia accompagna Justine à la chambre et la soirée se poursuivit jusque tard dans la nuit.

* * *

Le lendemain matin, Justine manifesta le désir de profiter de la piscine de l'hôtel. Barbara accepta tout en recommandant à Claudia de la surveiller de près. Elle pourrait ainsi prendre son petit-déjeuner tranquillement avec sa mère et récupérer des émotions de la veille.

---

1. Alexandre Jardin. *Le Zubial*, Éditions Gallimard, 1997.

Elles s'installèrent à la table devant les innombrables plats que venait tout juste d'apporter le garçon d'étage. Marie-Anne mangea avec appétit. Sa fille se contenta de grignoter quelques fruits et de goûter les fromages. Barbara se sentait nerveuse, angoissée. Comme si elle éprouvait de la difficulté à vivre le succès. Les applaudissements, les prix, les honneurs étaient embarrassants à accepter. Sa mère s'étonna de son manque d'enthousiasme.

« Quelque chose ne va pas, ma fille ?

– La soirée d'hier me trouble. Tous ces honneurs, c'est bien beau mais cela réveille beaucoup d'insécurité, de peur en moi. Si ma réussite n'était qu'un feu de paille ? Je sais... ça va aujourd'hui mais dans un an, deux ans. Il n'y a aucune garantie. Si je devais perdre quelques contrats, si mon adjointe était sollicitée par une autre entreprise, si le gouvernement décidait d'étatiser les soins à domicile, tout cela tomberait à l'eau et je me retrouverais devant rien. Je me demande aussi si je ne suis pas en train de sacrifier Justine à ma réussite professionnelle. Elle mérite plus de temps et de sacrifices de ma part. Ah ! je ne sais plus où j'en suis.

– Barbara, ma chérie, je comprends ta peur et je suis contente que tu aies assez confiance en moi pour la partager. Mais sache une chose : pour contrer le doute et la peur, il n'y a rien comme vivre pleinement le moment présent. Beaucoup de gens passent des heures et des heures à imaginer des drames qui n'arriveront jamais et à éprouver de l'angoisse au sujet de l'avenir. La solution ? Vivre ici et maintenant. Le moment présent ne revient jamais. Tu as le droit de savourer ton succès. N'empoisonne pas ta vie avec des peurs déraisonnables et irraisonnées. J'ai confiance en toi Barbara. Tu trouveras sans cesse de nouveaux moyens pour réussir à équilibrer ta vie. Tu l'as prouvé. La réussite ne se mesure pas en fonction de tes succès en affaires. L'attitude à adopter face au succès fait toute la différence. J'ai connu beaucoup de gens au portefeuille bien garni, mais au cœur vide. Le vrai péché selon moi, si on peut encore parler de péché, serait de ne pas faire bénéficier l'humanité de tes dons. Exploite tes ressources, fais jaillir tes forces, non pas pour te valoriser aux yeux des autres mais pour apporter ta contribution. Ta responsabilité la plus importante est de développer au maximum ton potentiel. Quant à Justine, ne t'en fais pas pour elle. Elle se sentira bien mieux aux côtés d'une mère épanouie au lieu d'une mère frustrée. Tu lui offres un beau modèle en lui inculquant le goût de l'effort et de la réussite. Elle apprendra, elle aussi, de tes succès. »

Le flot de paroles de Marie-Anne fut interrompu par la sonnerie du téléphone. Barbara s'empressa de répondre. Le directeur de l'hôtel l'enjoignait de descendre le plus vite possible à la piscine. Il était arrivé quelque chose à sa fille. Enfilant sa robe de chambre, elle se précipita vers les ascenseurs, suivie de Marie-Anne dans tous ses états.

* * *

Entourée du surveillant de la piscine, du directeur, d'une Claudia en larmes et d'un médecin anglophone, client de l'hôtel, Justine était étendue sur une chaise longue et se remettait de ses émotions.

« Que s'est-il passé ? Que s'est-il passé ? », cria Barbara en se précipitant sur sa fille. Le directeur tenta de la rassurer.

– Votre fille nous a fait bien peur, madame. Elle insistait auprès de son amie, pour aller sur le plongeoir en prétendant qu'elle savait nager. Elle ne croyait pas la piscine si profonde à cet endroit et elle a eu de la difficulté à revenir à la surface. En entendant les cris de Claudia, notre gardien a plongé et l'a sortie de l'eau. Il lui a fait la respiration artificielle et elle est revenue à elle. Tout semble aller bien maintenant. Elle en aura été quitte pour une bonne peur.

– Ma chérie, ma chérie, comment vas-tu ?

– J'ai eu peur, maman. Il y avait plein d'étoiles autour de moi. Je ne savais plus si j'étais dans l'eau ou dans le ciel. »

Le médecin s'approcha de Barbara et tenta de la rassurer à son tour.

« Je l'ai examinée et tout me semble correct. Cependant, je vous conseillerais de voir votre médecin de famille pour vous assurer qu'il n'y a pas de séquelles. Je vous suggère également de lui faire suivre des cours de natation au plus tôt », ajouta-t-il avec un sourire.

Barbara voulut prendre Justine dans ses bras pour la ramener à la chambre mais la petite refusa. Elle pouvait très bien marcher même si elle se sentait les jambes molles. Marie-Anne s'occupa d'une Claudia très perturbée, et fit tout son possible pour la déculpabiliser.

Dans l'ascenseur, Barbara repensa à la conversation avec sa mère. Elle s'inquiétait de ne pas en faire assez pour sa fille et, pendant ce temps-là, Justine était en train de se noyer quelques étages plus bas. Il ne lui en fallut pas plus pour faire le point sur ses vraies valeurs : non pas seulement le succès, le pouvoir et l'argent, mais l'amour pour ceux qui nous entourent.

Simultanément, Marie-Anne réfléchissait elle aussi. Elle se demanda si le moment de lui transmettre le coffret était arrivé. Il semblait bien que oui !

Chapitre 12

L'ÉVOLUTION

MONTRÉAL, LE 20 JUIN 2003

Le dernier jour de classe, Barbara alla chercher Justine à l'école et l'amena au restaurant. Elle tenait à souligner la fin de l'année scolaire et les excellentes notes obtenues par sa fille de façon toute spéciale. Elle avait une surprise pour elle, une surprise de taille. Dans trois semaines, elles partiraient toutes deux en voyage. Non pas au Mexique, ce serait pour février prochain à l'occasion de la semaine de relâche, mais en France où Barbara comptait comparer son service de soins à domicile avec ce qu'on retrouvait là-bas. Elle avait établi des contacts avec certaines entreprises privées de Paris, de Lyon et de Marseille, et les dirigeants étaient prêts à la recevoir. Entre ces courtes visites à caractère professionnel, elle consacrerait tout son temps à sa fille. Elles arpenteraient ensemble les Champs-Élysées, grimperaient tout en haut de la tour Eiffel, visiteraient le château de Versailles, les châteaux de la Loire et elles iraient se prélasser sur les plages de la Côte d'Azur.

La nouvelle mit Justine dans tous ses états. La France ne lui disait pas grand-chose mais la perspective de prendre l'avion pour la première fois de sa vie l'enchantait et surtout de passer deux semaines seule avec sa mère la ravissait au plus haut point. Dès son retour à la maison, elle téléphona à sa grand-mère pour lui annoncer la bonne nouvelle. Bien entendu, Marie-Anne était déjà au courant, mais en bonne grand-mère, elle ne voulut pas gâcher le plaisir de sa petite-fille.

« Chanceuse ! » lui dit-elle, tu m'amènes avec toi ?

– Non, non, j'y vais toute seule avec maman. Toi, tu y es allée souvent en France et, de toute façon, tu es trop vieille. »

Justine avait répondu avec toute la naïveté d'une enfant, sans crainte d'offusquer sa grand-mère. Dans son esprit, Marie-Anne n'était plus en âge de voyager. Cette dernière ne se formalisa pas de la remarque; elle préférait davantage voir au bien-être de son père et lui tenir compagnie.

* * *

13 JUILLET 2003

Quand les derniers bagages furent chargés dans la voiture, tout fut fin prêt pour le grand départ. Consciente du fait qu'elle partait la veille de la fête nationale des Français, commémorant la prise de la Bastille, elle savait qu'elles arriveraient en pleines festivités. Barbara fit une dernière fois le tour de la maison pour s'assurer que toutes les fenêtres étaient bien fermées, les portes verrouillées, les plaques chauffantes de la cuisinière éteintes, et le système de sécurité en fonction. Justine sortit de sa chambre en courant. Elle tenait dans ses mains un petit avion de plastique, son jouet fétiche, et se précipita vers sa mère.

«Maman, maman! Est-ce que je peux apporter mon avion dans le gros avion ?

– Bien sûr, ma chouette. Mets-le dans ton sac avec tes autres jouets, mais fais vite car nous devons partir maintenant.

– Je suis prête, maman. J'ai tellement hâte d'être dans les airs. Est-ce que je pourrai regarder par la fenêtre?

– Cela ne dépend pas de moi. Si nous arrivons assez tôt à l'aéroport, nous aurons peut-être des places près d'un hublot.

– D'un quoi ?

– D'un hublot, c'est comme ça qu'on appelle les fenêtres dans les avions. Allez, viens! Nous n'avons plus de temps à perdre. Nous devons passer voir papi avant de partir, puis grand-maman va nous reconduire à Mirabel. »

Après avoir fermé à clé la porte d'entrée, Barbara s'installa au volant de sa voiture et démarra sans jeter un regard en arrière.

* * *

À leur arrivée à Westmount, Barbara aperçut sa mère en train de causer avec un inconnu à la porte de la maison. Elle traversa l'impressionnante allée de stationnement et gara sa voiture tout près de celle de Marie-Anne. Elle décida de faire le transfert des bagages plus tard.

Justine se précipita à la rencontre de sa grand-mère pour l'embrasser ; Barbara la suivit et fit de même. Marie-Anne en profita pour lui présenter son ami.

« Barbara, je te présente Armand Lajoie[1], un ami de longue date dont je t'ai déjà parlé. Il nous invitait toi et moi, à une conférence sur la puissance d'un programme de fixation d'objectifs. Selon lui, cette façon particulière de gérer sa vie nous intéresserait. Mais tu pars en voyage et je dois m'occuper de papa dont l'état de santé me préoccupe.

– Cela m'intéresserait sûrement, monsieur Lajoie. J'espère pouvoir me reprendre une autre fois.

– Les conférences ont lieu chaque mois. Je tiendrai Marie-Anne au courant des prochaines rencontres, mais vous allez devoir m'excuser, je dois partir maintenant. Je vous souhaite un excellent voyage. »

Armand Lajoie fit un sourire à Justine et serra la main de Barbara. Puis, il embrassa Marie-Anne sur les deux joues et s'éclipsa.

Sitôt dans la maison, Barbara s'informa de ce curieux visiteur.

« Qui est cet Armand Lajoie ? Tu m'en as déjà parlé, je crois, mais c'est très vague. Il a une tête fort sympathique.

– Armand est président-directeur général d'une entreprise de vêtements de sport. Il a vécu plusieurs difficultés importantes, tant sur le plan personnel que professionnel. Il a réussi à s'en sortir grâce à une formidable dose de courage et de détermination. Aujourd'hui, son entreprise

---

1. Personnage du livre de Richard Durand, *Objectif : Réussir sa vie et dans la vie !*, paru aux éditions Un monde différent en 1997.

est prospère. Son difficile cheminement en a fait un être complet, équilibré. Il m'a aidée à certains moments cruciaux de ma vie et nous sommes devenus de bons amis.

– Vous vous voyez souvent ? demanda Barbara avec un sourire moqueur.

– Ne va pas t'imaginer des choses, ma grande ; c'est un ami, voilà tout. Nous nous rencontrons deux ou trois fois par an.

– C'était une blague, maman, juste une blague », dit-elle en entrant dans le salon.

John, installé dans un confortable fauteuil de cuir, les attendait. Malgré son âge avancé, 93 ans maintenant, il avait tenu à ce que Justine vienne s'asseoir sur ses genoux. La petite était en train de lui raconter ses projets de voyage. Elle était fébrile, impatiente. Quand elle vit apparaître sa mère, elle détourna son attention vers elle.

« Ça y est ? On part ?

– Nous avons une petite heure devant nous. Il te faudra patienter. Mais laisse papi tranquille, tu vas le fatiguer.

– Veux-tu la laisser faire », répliqua le vieillard. « Ça fait du bien de voir une enfant enjouée dans cette maison, vous ne venez pas assez souvent.

– On se fait un bon petit café ? » enchaîna Marie-Anne. « Justine, veux-tu venir avec moi ? Je pense avoir quelques biscuits en réserve. »

Justine sauta des genoux de son arrière-grand-père et suivit Marie-Anne à la cuisine. Barbara en profita pour s'approcher de John et l'embrasser tendrement.

« Comment allez-vous, grand-papa ?

– Ça va, et toi ? Pas trop excitée par ce voyage ?

– J'ai hâte de me retrouver dans l'avion pour me détendre. J'ai l'impression que ma fatigue des derniers jours va tomber tout d'un coup.

– C'est toujours comme cela quand on part en voyage. Moi aussi, j'étais épuisé à chacun de mes départs.

– Vous regrettez ce temps ?

– À mon âge, tu sais, on ne regrette rien sauf, peut-être, de ne plus avoir la force de recommencer. »

Justine vint les prévenir que le café était prêt. Soutenant son grand-père par le bras, Barbara emprunta le corridor en sa compagnie.

* * *

Après une vingtaine de minutes de conversation à bâtons rompus, Marie-Anne fit un signe discret à John. Il comprit et invita Justine à le suivre au boudoir.

« Viens, j'ai une surprise pour toi. »

Dès qu'ils eurent quitté la pièce, Marie-Anne s'adressa à sa fille.

« Moi aussi, j'ai une surprise pour toi, suis-moi au grenier.

– Au grenier ! Mon Dieu, je n'y ai pas mis les pieds depuis des années. Te souviens-tu quand j'étais petite… Mais que veux-tu faire là ?

– Suis-moi, tu verras ! »

En arrivant au grenier, Barbara fut assaillie par des tas de souvenirs d'enfance. En somme, à peu près rien n'avait changé – à part quelques effets personnels que sa mère avait entreposés là lors de son déménagement du quartier Notre-Dame-de-Grâce à celui de Westmount – c'était toujours le même fouillis de meubles anciens, de malles, de boîtes empilées les unes sur les autres. Elle se dirigea d'un pas assuré vers une boîte dont elle défit le ruban gommé. Elle l'ouvrit et en retira un coffret de bois à l'aspect très suranné.

« Qu'est-ce que c'est ? » demanda Barbara. « Une antiquité ?

– C'est une partie de ton héritage, ma fille ! Un bien précieux qui a appartenu à notre famille depuis quatre générations. Papa me l'a donné il y a cinq ans, le lendemain du jour où tu étais venue te réfugier chez moi après la rechute de Bob. Tu te souviens ?

– Si je m'en souviens ! J'ai l'impression que c'était hier.

– Je ne voulais pas remuer de mauvais souvenirs, pardonne-moi. Je veux simplement te dire que cet héritage m'a fait le plus grand bien à l'époque. Il en sera sûrement de même pour toi à partir d'aujourd'hui. Prends-en bien soin. Le coffret ne paie pas de mine mais ce que tu y trouveras à l'intérieur est inestimable. Un jour, tu le donneras à Justine... quand le moment sera venu. Je vais te laisser seule maintenant ; tu peux l'ouvrir. »

Marie-Anne descendit prudemment l'étroit escalier, abandonnant sa fille curieuse et émue tout à la fois. Elle alla rejoindre John et Justine dans le boudoir. En la voyant arriver, son père lui sourit. Juste au regard de Marie-Anne, il comprit, la transmission venait de se faire. C'était au tour de sa petite-fille de profiter du cadeau d'Abraham. Ils ne dirent mot. C'était inutile.

Assise au bureau, Justine feuilletait un livre de luxe, s'extasiant chaque fois qu'elle tournait une page.

« Viens voir, grand-maman, le cadeau de papi ! C'est un livre pour enfants sur les avions. Regarde ces dessins, ces photos. Quand je serai grande, j'irai dans la lune et je t'enverrai des cartes postales de là-haut.

– En attendant, tu m'enverras des cartes postales de la France. Te rends-tu compte de ta chance ?

La petite Justine, esquivant la question de son papi, cria joyeusement : « Je vais tout de suite le montrer à maman !

– Non, attends, elle va descendre dans quelques minutes. Pour l'instant, elle est occupée, ne la dérange pas, veux-tu ?

– Qu'est-ce qu'elle fait au grenier ?

Je lui ai offert un cadeau, moi aussi. Tout comme toi, elle est en train de lire. Continue à regarder les belles illustrations de ton livre en attendant. »

Marie-Anne s'approcha de son père et lui posa la main sur l'épaule dans un geste de douce complicité. Debout derrière Justine, ils regardaient les images du livre, sans écouter les remarques de la petite. Les deux ne disaient mot mais ils n'en étaient pas moins sur la même longueur d'ondes. « Cette enfant a eu une vie difficile depuis sa naissance, mais heureusement sa mère s'est prise en mains. La vie s'est chargée de replacer les choses. La voilà maintenant enfin heureuse, elle le mérite bien. »

* * *

Au grenier, Barbara avait longuement caressé le coffret avant de l'ouvrir. Elle s'était installée sur une malle placée sous l'unique lucarne de la pièce pour mieux admirer les richesses promises par Marie-Anne. En soulevant le couvercle, elle découvrit neuf petits parchemins, numérotés en chiffres romains, couverts d'une écriture à peine lisible tellement ils étaient vieux. Elle réussit tout de même à déchiffrer ces véritables hiéroglyphes. Chaque message s'appliquait à son évolution, confirmait la justesse de ses décisions, lui permettait d'envisager son avenir avec confiance et sérénité. Quel cadeau extraordinaire !

Elle venait tout juste de terminer sa lecture lorsqu'elle entendit des petits pas dans l'escalier. Justine s'était échappée de la surveillance de sa grand-mère pour venir montrer son livre à sa mère. Barbara s'empressa de remettre les parchemins dans le coffret et tenta de reprendre ses esprits tant bien que mal.

« Maman, regarde le beau livre, tu pourrais me le lire dans l'avion », s'exclama-t-elle en le posant sur ses genoux. Puis, sans attendre de réponse, elle s'intéressa au coffret.

« Comme il est vieux ton coffret ! C'est cela, le cadeau de grand-maman ? Je veux le voir, je veux voir ce qu'il y a dedans.

– Pas maintenant, Justine. Quand tu seras grande, je te le donnerai.

– Mais je suis grande, j'ai sept ans !

– Tu n'est pas assez grande encore, attends quelques années...

– C'est long quelques années...

– Tu te rendras compte bien assez tôt de la vie qui passe, et très vite à part ça. Viens, il faut descendre et partir sinon on va rater l'avion. As-tu hâte d'être à Paris ?

– J'ai surtout hâte d'être grande. »

Dans son excitation, Justine faillit débouler dans l'escalier. Elle eut tout juste le temps de saisir la rampe évitant ainsi de perdre pied. Barbara jeta un dernier coup d'œil au grenier avant d'éteindre la lumière. *« Décidément »*, se dit-elle, *« cet endroit recèle des trésors insoupçonnés. »*

* * *

Dans la cuisine, Marie-Anne préparait le thé et une petite collation. Barbara et Justine ne mangeraient sûrement pas avant plusieurs heures. Il leur faudrait patienter jusque-là.

Elle se remémorait ses nombreux voyages. Elle avait adoré cette période mais elle sentait bien que ça l'intéressait de moins en moins. Justine avait raison : elle avançait en âge. Chose curieuse, elle n'avait pas l'impression de vieillir. Ses champs d'intérêt avaient tout simplement changé. Elle préférait rester à la maison, et voir au bien-être de son brave père, ce qu'elle faisait avec joie. « C'est probablement cela vieillir en beauté. Ne pas regarder en arrière, ne pas se nourrir de regrets, vivre son moment présent à plein. »

Voyant arriver Justine et Barbara, Marie-Anne demanda à sa fille d'aller chercher John qui était parti se reposer dans sa chambre. Il était allongé sur son lit, les yeux clos.

« Vous dormez, grand-papa ?

– Non, je pensais à ton voyage. J'aimerais bien être à ta place.

Maman vient tout juste de me remettre son coffret. J'ai lu les parchemins et j'en suis encore toute bouleversée. Je tenais à vous remercier de tout cœur. Elle m'a dit qu'il venait de vous.

– C'est vrai, mais, en réalité, il vient de beaucoup plus loin. En fait, nous ne connaissons pas son origine véritable. Il faut remercier Dieu de l'avoir fait circuler jusqu'à nous. Un jour, quand le moment sera venu, tu le confieras à Justine. »

– Sois-en assuré, je m'y engage de tout mon cœur. Justine l'aura en héritage à son tour. En attendant, je le garderai en lieu sûr, c'est un coffret précieux.

– Tu as raison, ces parchemins nous rappellent de très grandes vérités que nous avons trop souvent oubliées dans le combat quotidien pour la survivance : que nous sommes tous membres d'une même grande famille universelle, par exemple, et qu'à force de collaborer les uns avec les autres, de nous rendre disponibles, nous contribuons à faire progresser le genre humain. Tu en es la preuve vivante, car avec ton entreprise, tu as su paver la voie à des relations plus enrichissantes et plus harmonieuses. Tu as osé risquer, tu as osé explorer de nouvelles avenues, en trébuchant parfois mais en te relevant chaque fois. Je ne sais trop qui a dit : « Tomber, c'est humain ; se relever c'est divin ». Connais-tu Albert Jacquard ? Je l'ai entendu naguère à la radio. Et ses paroles m'avaient beaucoup frappé : "Le bonheur n'est pas dans le succès, mais dans l'effort, dans la dynamique."

« Tout changement commence par de petites choses, par une prise de conscience par rapport aux événements. Par exemple, sourire à un malheureux, tendre la main aux plus faibles, aider un être souffrant, blessé. Donner de l'amour, c'est la sensation la plus extraordinaire du monde. Nous souhaitons tous vivre dans un monde meilleur. La seule façon d'y arriver, c'est de partager nos dons et nos talents. Au-delà de ta réussite personnelle et professionnelle, ce dont tu peux être le plus fière c'est bien de cela : d'avoir contribué à rendre le monde meilleur. C'est la société tout entière qui profite de tes succès. Et surtout, Barbara, ne laisse jamais rien ni personne détruire tes rêves !

– Je te le promets, grand-papa, c'est promis. »

* * *

Après le thé et la collation, Justine donna le signal du départ pour l'aéroport en se précipitant vers la porte.

« Tu ne dis pas au revoir à papi ? » s'étonna sa mère.

La petite revint en courant et sauta au cou de John pour l'embrasser affectueusement.

« N'oublie pas ma carte postale de la tour Eiffel », se contenta-t-il de lui dire en la déposant par terre. Puis il s'approcha de Barbara, la serra dans ses bras en lui souhaitant « bon voyage ». La scène était touchante. Quatre générations, autrefois unies dans le drame et le malheur, se retrouvaient solidaires aujourd'hui dans la joie et le bonheur. On aurait dit un tableau de maître aux couleurs scintillantes.

* * *

Trois heures plus tard, Justine et Barbara étaient en route vers la France. À l'heure de leur arrivée, ce serait l'effervescence de la fierté nationale et elles s'en réjouissaient. Il y aurait des drapeaux partout, et la fête battrait son plein dans toute la France. Vraiment, c'était le moment parfait pour découvrir un nouveau pays et fraterniser avec nos cousins. Justine, qui regardait par le hublot, s'étonna de voir la ville si minuscule et qui disparaissait peu à peu sous une couche de nuages. « Un jour », se dit-elle, « j'irai encore plus haut, jusque dans les étoiles. »

Épilogue

Attablé devant la fenêtre de sa modeste maison aux murs de crépi, le Judéen regardait le champ d'oliviers qui s'étendait à perte de vue dans les collines de Jéricho. La saison était magnifique et le soleil éblouissant. Rongé par le remords, obsédé par les événements récents, il n'arrivait pas à jouir du spectacle s'offrant à sa vue. Pourquoi… ? Il avait pourtant été un apôtre loyal et fidèle, attaché à son Maître. Ne l'avait-il pas suivi de village en village sur les routes de Galilée ? Ne s'était-il pas acquitté de sa tâche de trésorier des douze apôtres avec minutie et honnêteté ? Personne d'ailleurs ne s'était plaint de sa gestion et pourtant, sa tâche était loin d'être facile, et ce, en grande partie à cause de l'idéalisme de Jésus.

Comment en était-il arrivé à le trahir ? S'il avait pu trouver du travail à la sécherie de poissons en aval de la mer de Galilée, tout cela ne serait pas arrivé. Mais le message de Jésus l'avait troublé, l'avait profondément fasciné et il avait décidé de le suivre car, malgré sa grande instruction, jamais personne ne lui avait enseigné ces préceptes ineffables. Ses parents, occupés à le choyer, à l'admirer, à le surprotéger, ne lui avaient pas appris grand-chose au fond, sauf hélas ! à exagérer son importance personnelle. Il n'avait pas été sans apprécier son travail dans les diverses entreprises commerciales de son père, mais ses parents n'avaient pas hésité une seconde à le renier quand il s'était intéressé aux sermons et à l'œuvre de Jean le Baptiste.

Qu'à cela ne tienne, il avait découvert en Jésus et les apôtres sa vraie famille. Bien sûr, il l'avouait aujourd'hui, il n'était pas toujours d'accord avec eux, critiquant même certaines idées. Et pourtant, jamais son doux Maître ne lui en avait tenu rigueur. Il lisait cependant dans son âme, dans les recoins les plus sombres de son cœur. Malheureusement oui, ses progrès personnels sur le difficile chemin de la foi, laissaient sans conteste à désirer.

Et c'est à ce constat on ne peut plus désolant que ses réflexions le ramenaient. En ces heures lugubres et intenses de remise en question, le fourbe, amèrement déçu de lui-même, essayait de s'expliquer sa trahison. Non, ce ne pouvait pas être pour de l'argent, pas pour trente misérables deniers tout de même. Pourquoi alors ?

Le Maître l'avait pourtant aimé, comme Il aimait les onze autres apôtres, allant même jusqu'à tolérer son esprit critique et soupçonneux. Il l'avait rappelé à l'ordre une seule fois, le jour où une femme reconnaissante avait brisé un coûteux vase rempli de parfums aromatiques pour oindre Ses pieds. Le Judéen avait vertement dénoncé ce gaspillage éhonté et c'est dans ces circonstances que le Maître l'avait désavoué publiquement. La rage au cœur, l'orgueilleux s'était bien promis de se venger tôt ou tard de cette humiliation.

L'occasion se présenta rapidement. La rancune étant mauvaise conseillère, il décida de participer à une vile et odieuse conspiration destinée à trahir son Seigneur et Maître. Dans ses moments de lucidité, il pleurait de honte mais impuissant à freiner ses pulsions vengeresses, il s'était vendu à l'idée que Jésus pourrait exercer son grand pouvoir et le délivrer au dernier moment. Hélas, l'immonde complot réussit ! Le Maître fut saisi par les soldats, jugé et crucifié entre deux larrons pour s'être proclamé Fils de Dieu. Au cours des jours et surtout des nuits qui avaient suivi son crime, le traître n'avait pu chasser de son esprit le regard plein de bonté et de compassion que Jésus avait posé sur lui quand il L'avait embrassé si perfidement.

* * *

Le Judéen, les yeux clos pour se dérober à la lumière accusatrice, revivait encore et toujours, les dramatiques événements. Torturé, épuisé, il ne mangeait plus, ne dormait plus. Sa vie n'avait plus aucun sens, car ne dit-on pas que l'univers ne supporte pas le vide. Puis soudain, malgré ce néant, il fut traversé par un éclair, une source lumineuse, une éclaircie qui tranchait momentanément sur ses habituelles pensées noires qui l'habitaient constamment. Les pensées profondes ont une vie propre, il le savait. Sous l'effet de cette source apaisante et inspiratrice, l'apôtre transformé se sentit tout à coup investi d'une mission toute particulière, de l'obligation de transmettre pendant des siècles et des siècles un important message destiné à l'humanité. Ce rôle de messager de paroles bienfaisantes pour quiconque aurait le privilège d'en prendre connaissance serait un jour éclipsé dans l'Histoire, sans qu'il puisse même sans douter, par sa réputation de traître transcendant tous les temps. C'était malheureusement son destin.

Métamorphosé par l'inspiration, il trempa sa plume dans l'écuelle remplie d'un mélange noirâtre et se mit à écrire fiévreusement sur une feuille de parchemin fragile et quelque peu froissée. Les mots se bousculaient dans sa tête; il avait peine à suivre le rythme rapide, le flot débordant d'une inspiration à coup sûr divine. Puis, sa mission achevée, haletant, épuisé, il relut avec attention les lois nécessaires non seulement à l'épanouissement de chaque personne mais aussi de l'humanité tout entière. Sous le coup d'une émotion hallucinante, il éclata en sanglots. Puis il remisa avec soin le parchemin dans un petit coffret de bois et il sortit précipitamment.

Le lendemain, son neveu horrifié le découvrit pendu à un olivier derrière la mansarde. Il décrocha le corps et l'étendit avec soin sur son lit de branchages. Son regard fut attiré par une bourse et un coffret déposés côte à côte sur une énorme pierre. Il s'approcha pour pouvoir examiner ces deux éléments. Il découvrit trente pièces d'or dans la bourse et un vieux parchemin rempli de signes presque illisibles, dans le coffret.

Quand il parvint à déchiffrer le texte, il éprouva un réel respect pour son oncle, cet être profondément malheureux, honni et vilipendé de tous. Le Judéen avait rempli là une grandiose mission. Le neveu ému se jura de réhabiliter l'honneur du grand incompris et de s'assurer qu'un message d'une telle valeur pour l'humanité ne se perdrait pas dans la nuit des temps. Il fit mieux! Conservant précieusement le parchemin original, il en mit les principes en application dans tous les domaines de sa vie. Arrivé à un âge avancé et respectable, il traduisit le texte afin d'en faciliter la diffusion et la compréhension. Pour lui donner plus de répercussion et d'impact, il répartit le texte sur neufs petits parchemins rangés avec soin dans le coffret.

Il n'oublia pas de noter au début des textes cette phrase écrite en lettres majuscules par son oncle pour en souligner l'importance. PRENEZ LE TEMPS DE LIRE LES MESSAGES SUIVANTS UNE PREMIÈRE FOIS, PUIS RELISEZ-LES SOUVENT, ENCORE ET ENCORE, CAR

C'EST GRÂCE À LA RÉPÉTITION QU'ON TRANSFORME SES ATTITUDES ET SES HABITUDES. L'IMPORTANT EST D'INTÉGRER ENTIÈREMENT ET COMPLÈTEMENT CES PRINCIPES DANS SON VÉCU... UN JOUR À LA FOIS, TOUS LES JOURS DE SA VIE.

* * *

Deux millénaires plus tard, dans un crématorium de Montréal, Justine trouvait un coffret en tous points semblables, caché derrière l'urne mortuaire de sa mère. Elle le reconnut. Barbara le lui avait montré dans le grenier chez John avant leur départ pour la France quand elle était petite. Après l'avoir ouvert, elle se mit à lire avidement. Chaque phrase la faisait frémir d'émotion. Puis, sa lecture terminée, Justine replaça les neuf petits parchemins dans le coffret.

Perdue dans ses pensées, elle réfléchissait. Elle n'aurait jamais plus à se poser de questions ; tout était là ! Pour elle, pour sa fille, pour tous leurs descendants. Ils étaient désormais insubmersibles, à l'abri d'un douloureux naufrage intérieur. Elle eut envie de partager son legs, sa merveilleuse découverte avec son mari et sa fille. Ils pourraient bénéficier eux aussi de ces remarquables principes de vie. Elle décida auparavant de les relire attentivement pour commencer à bien se les approprier.

Tu veux aimer? Oublie la possession.

Tu veux communiquer?
Fais le silence en toi; tu retrouveras la voix.

Tu veux être pacifique? Exprime ta colère.

Tu veux évoluer? Accueille tes erreurs.

Tu veux te réaliser?
Ne laisse ton pouvoir à personne.

Tu veux les cadeaux de la vie?
Tu en recevras à chaque épreuve.

Tu veux fuir l'isolement? Recherche la solitude.

Tu veux t'améliorer? Ne force pas; fais des efforts.

Tu veux être parfait? Sois toi-même.

MAIS SURTOUT N'OUBLIE PAS:

CE QUE NOUS SOMMES EST UN DON DE DIEU.
CE QUE NOUS DEVENONS EST NOTRE DON À DIEU.

Écrit en l'an 33 par J. I.

Justine, complètement remuée, décida d'aller à l'extérieur pour voir si les membres de sa famille étaient revenus. Scrutant l'horizon, elle crut percevoir un léger mouvement aux abords du parc. Gregg? Stéphanie? Non, mais il y avait dans un halo de brouillard, un monsieur sans âge, grand et mince, à l'allure étrange. Il portait une longue barbe blanche de patriarche et une austère pelisse de bure toute usée recouvrait sa redingote démodée. De plus, il serrait sur son cœur une besace de pèlerin à laquelle il semblait beaucoup tenir. Malgré sa pauvreté, il émanait de ce personnage une certaine luminosité pour le moins inexplicable. Son regard brillait d'un feu si saisissant qu'il dégageait incontestablement beaucoup de charisme.

L'énigmatique patriarche souriait. Il avait enfin réussi à réhabiliter la mémoire de son oncle. Au troisième millénaire, grâce à la découverte du parchemin original, on prononcerait enfin avec respect le nom de Judas Iscarioth.

Et puis soudain, Justine eut l'impression que le sage s'évaporait dans un nuage de brume. Elle se frotta les yeux. Avait-elle rêvé? Elle décida de ne pas se laisser troubler par cette apparition pour le moins mystifiante, et elle admira de nouveau son coffret. Oui, il représentait réellement le plus bel héritage qu'une mère puisse léguer à sa fille.

FIN

ANNEXE SUR L'AUTEUR

Les conférences et programmes de Richard Durand
sont un excellent moyen d'ajouter de l'intérêt
et de la crédibilité à vos événements de tous genres.

Richard Durand peut préparer pour vous
des conférences sur mesure ainsi que des séminaires
sur la gestion des ressources humaines.
Vous pouvez aussi assister à ces conférences publiques.

Pour communiquer avec lui :
Par téléphone : 450-688-4211
Par télécopieur : 450-688-4348
Par courriel : info@richard-durand.com
Visitez aussi son site Internet : http ://www.richard-durand.com
Site hébergé par : http ://www.mksinfo.com

Bibliographie

Les 12 étapes : Le Grand Livre des Alcooliques Anonymes. Alcoholics Anonymous. Publishing Co.,1952.

Kehoe, John. *La puissance de votre esprit.* Éditions de Mortagne, format de poche, 1989.

Montbourquette, Jean. *Comment pardonner?* Éditions Novalis, 1992.

Beattie, Melody. *Vaincre la codépendance.* Collection Hazelden, 1992.

Urantia Foundation. *Le Livre d'Urantia.* Édition française, 1994.

Vigeant, Yolande. *Espoir pour les mal-aimés,* Éditions Le Manuscrit Édimag, 1990.

Dipietro. *La dépendance affective : ses causes et ses effets.* Éditions Québécor, 1996.

Masson, Philippe. *Le Titanic.* Éditions Historia-Tallandier, 1997.

Walsh, Neale Donald. *Conversations avec Dieu.* Éditions Ariane, 1997.

Poole, Lawrence J.-E. et Ethier, Susy. *Quand l'âme agit.* Isabelle Quentin éditeur, 1998.

Recherches Internet :

Développement des ressources humaines, Canada. 1998, Deuxième Guerre mondiale.

RMS Titanic http ://www.granby.net/~cedrickb

33

14 JUL 2024